Introduction

J'étais prêtre depuis vingt-deux ans quand je fus nommé aumônier d'hôpital. Auparavant, j'avais connu la vie paroissiale. Rencontre de tous les âges de la vie, du baptême aux enterrements : catéchisme, animation des équipes de jeunes et d'adultes, organisation des camps de vacances, liturgies les plus diverses — j'ai célébré près de mille mariages —, prédication du dimanche... Vicaire puis curé, je me suis passionné pour chacune de ces activités pastorales, soucieux et heureux d'annoncer la bonne nouvelle de Jésus Christ au cœur de la vie. Fils de la charité, j'ai exercé ce ministère en milieu ouvrier et j'ai toujours été saisi du plus grand respect pour les plus simples. J'ai eu aussi à me compromettre lors de conflits sociaux.

L'Eglise vivait l'élan missionnaire qui s'est épanoui au moment du Concile. « Les joies et les espoirs, les tristesses et les angoisses des hommes de ce temps, des pauvres surtout et de tous ceux qui souffrent, sont aussi les joies et les espoirs, les tristesses et les angoisses des disciples du Christ, et il n'est rien de vraiment humain qui ne trouve écho dans leur cœur » (Constitution pastorale, *L'Eglise dans le monde de ce temps*, n° 1).

La maladie, la souffrance, la mort m'apparaissaient alors comme une cassure du dynamisme qui soutient les activités des hommes. Au contraire, j'ai découvert là une intensité de vie que je n'avais jamais connue. Et ce ministère a éclairé ma route passée. Je me suis aperçu qu'il ne s'agit pas simplement d'aimer un aspect de la vie : la beauté, le travail, la justice ou même l'amour mais d'aimer la vie pour elle-même. J'ai découvert comme jamais que Dieu est Vie.

Ces lignes ont été écrites comme un témoignage. Le regroupement en chapitres n'obéit pas à une logique rigoureuse. La vie ne s'enferme pas dans un plan. Peut-être ces pages aideront-elles quelques-uns à vivre ces moments douloureux avec espérance et à savoir que l'on peut y rencontrer Dieu. Qu'elles disent ma reconnaissance à tous ceux qui m'ont entraîné à aimer la vie !

Intuition

Des rires et des cris d'enfants remplissent la cour intérieure de l'hôpital de Garches. C'est l'heure de la récréation. Un ballon vole de mains en mains. On est en juin, le soleil est chaud. Ces enfants qui crient et s'amusent sont allongés et attachés sur des brancards. Ce sont des enfants atteints de poliomyélite.

Cette image reste gravée dans ma mémoire. J'avais vingt-cinq ans, et j'étais en pleine possession de mes moyens. Nous cherchions notre chemin dans les allées de l'hôpital. Cette vision, découverte à l'angle d'une allée, ne m'a pas quitté. Comme une parole très forte que vous ne saisissez pas tout à fait. Comme une confidence qui vous surprend et à laquelle vous ne savez que répondre. Comme la joie qui vous envahit avant même d'avoir déballé un cadeau... Je garde surtout le souvenir de cette émotion. Et l'impression était d'autant plus forte que je ne savais pas l'analyser.

Par la suite, lorsque je passais devant cet hôpital, je ne pouvais me dégager de l'idée que derrière ces murs, il y avait un monceau de souffrance. Mais le rire des enfants dans le soleil de juin me disait également que tout n'est pas dit quand on parle seulement de souffrance.

Dix ans plus tard, j'ai retrouvé la même cour, les mêmes jeux, les mêmes rires. Je venais me faire opérer d'un ménisque. Je n'avais pas cessé de faire du sport pendant ces dix années, de courir et de sauter. En attendant l'opération, je rendais visite aux petits polios immobilisés, je fus ému par l'attention, la délicatesse que leur accordaient leurs institutrices, les brancardiers, les infirmières. Ce monceau de souffrance était aussi le lieu d'un dévouement et d'une générosité admirables.

Cette seconde émotion s'est superposée à la première : handicap et attention délicate ont désormais coexisté dans mon regard. Côte à côte, sans se fondre. On comprend que la misère puisse susciter la pitié, la sympathie, provoquer le service. La maladie appelle le soin. Mais cela ne m'expliquait toujours pas le rire. La joie de ces enfants me semblait hétérogène à la souffrance. Elle n'était pas seulement une compensation.

Les béatitudes m'ont fait entendre une parole au cœur de cette réalité. Heureux les pauvres, heureux les doux, heureux ceux qui pleurent, heureux ceux qui sont persécutés pour la justice... (selon Mt 5, 11-12).

Pas seulement : Heureux quand même... bien que pauvres et malheureux.

Pas seulement parce qu'on « apprécie » d'autant plus le bonheur qu'il est rare et que l'on est habituellement dans une situation difficile.

Pas seulement parce que ceux qui aiment savent d'expérience que le don et le dépouillement enrichissent l'amour.

Les béatitudes révèlent tout leur secret à ceux qui découvrent que l'amour est la vraie vie : l'amour appelle à se donner sans compter, à vivre la tendresse, la relation désarmée. Ceux qui aiment sont prêts à lutter au risque d'en subir les conséquences et heureux de le faire pour prouver à l'être aimé qu'ils l'aiment jusque-là.

Dans le cas présent, il faut encore aller plus loin : non pas heureux, pauvre, doux, désarmé « même si » tu es malade, mais heureux « parce que » tu es malade. Parce que la maladie révèle une profondeur de la vie, une profondeur de l'amour et une présence de Dieu jusqu'alors inconnues.

Les petits polios m'ont livré un message. Je ne l'ai compris que plus tard. Ils m'ont dit qu'ils étaient heureux malades. Ils m'ont révélé une profondeur insoupçonnée de la vie et de l'Evangile. Ils m'ont invité à comprendre non seulement que l'Evangile éclaire la vie mais que la vie permet d'approfondir le message de l'Evangile.

Paroles

Aujourd'hui ça va

J'ai trouvé un mot dans la boîte à lettres suspendue à côté de la porte de la chapelle. « Passez voir M..., chambre n° ..., urgent. »

Quand j'arrive, je trouve deux dames, assises côte à côte, près du lit du malade. L'homme couché est âgé, jaune, amaigri.

L'accueil est sans réticence, mais je me rends compte rapidement qu'on ne m'attendait pas. A la fin de la visite, j'apprendrai que c'est un autre malade, voisin de chambre lors d'un séjour précédent, qui m'a prévenu.

Il est toujours difficile de prendre contact. « Bonjour, monsieur. J'ai appris que vous voilà de nouveau revenu à l'hôpital. Comment ça va ? Je le sais bien : quand on est ici, ça ne va pas toujours. Mais je crois aussi que les malades connaissent leur état, mieux que les médecins eux-mêmes. » Il était sorti trois jours plus tôt pour aller finir ses jours à la maison. Sa femme n'a pas pu subvenir aux soins. Il a fallu l'hospitaliser à nouveau. Il est conscient, éveillé, mais « fatigué », comme miné de l'intérieur. Très présent cependant.

— Je ne veux pas être indiscret, mais comment vous sentez-vous ?

— Aujourd'hui, ça va.

Sa femme a sursauté, légèrement, imperceptiblement, mais de tout son être. Elle a dû penser : « Comment peut-il parler ainsi alors que nous le veillons, moribond ? Comment peut-on ainsi mentir ? »

J'ai perçu cet étonnement. Mais au lieu de discuter sur le « ça va », je me suis laissé porter par « aujourd'hui ». Je crois que les malades disent ce qu'ils pensent. De manière symbolique, apparemment contradictoire, ils disent peut-être plus que nous ne pouvons comprendre. Ils disent sûrement ce qui correspond bien à ce qu'ils veulent dire.

— Je crois que vous avez raison de dire aujourd'hui. Si on voulait porter aujourd'hui la peine de demain, ce serait trop lourd. A chaque jour suffit sa peine. Oui, je crois que vous avez raison de dire aujourd'hui.

C'est tout. J'avais pensé tout haut. Sa famille m'a remercié. La belle-sœur m'a confié dans le couloir : « Il est au bout du rouleau. »

Je suis parti en méditant cette conversation. « Aujourd'hui ça va. »

Que pouvons-nous dire de la vie si ce n'est ce que nous en savons aujourd'hui ? Ce malade venait d'exprimer tout ce qu'il pouvait dire. Sans mensonge. Au contraire, cette confidence, ces trois mots lumineux en regard du non-dit que chacun pouvait entendre, disaient la seule chose qui pouvait être dite : Aujourd'hui, je suis là. Je suis encore là pour aujourd'hui. Je suis en vie et la vie va... encore pour aujourd'hui.

Dans cette situation, les malades ont une foi purifiée, transparente. Ils ressentent certainement que cette vie, la leur, n'existe que suspendue à sa source. Ils n'en sont pas les auteurs. Ils la reçoivent et perçoivent mieux de qui elle provient. Le début et la fin se rejoignent. Le temps se réduit à l'instant. On ne peut bien parler de la vie qu'à travers l'aujourd'hui du temps, l'aujourd'hui de Dieu.

J'entends le triple « aujourd'hui » que l'Eglise aime à redire. Il nous rappelle qu'un jour du temps, Jésus a vécu Dieu dans le temps d'une vie humaine. Il exprime cette présence de ce Jésus ressuscité aux croyants qui se rassemblent pour le célébrer. Il annonce que toute notre existence actuelle sera un jour transfigurée dans l'aujourd'hui éternel de Dieu.

Pour moi, aujourd'hui sera un peu plus celui de ce monsieur qui, entre la vie et la mort, m'a dit à la surprise de sa femme : « Aujourd'hui ça va. »

Il est mort le lendemain.

Je ne sais pas ce qui va encore m'arriver

Service de réanimation. Leucémie, greffe de moelle. Il a quarante ans. Une infection pulmonaire vient de se déclarer et suscite une nouvelle alerte.

Il vient de province. Il n'est pas abandonné, mais les journées sont longues, loin de la famille.

— Alors, comment ça va ?

— Vous savez ce qui m'est arrivé ? Et voilà que j'ai eu une cystite et aujourd'hui cette infection pulmonaire. Je me demande après tout cela ce qui va encore m'arriver.

— Qu'est-ce qui vous aide à soutenir le choc ?

— La prière. Mais c'est long à venir.

Quelques jours plus tard, il ne pouvait plus parler. Il m'a reconnu quand il a ouvert les yeux et m'a fait comprendre qu'il ne pouvait plus rien dire puisqu'il était intubé.

— Vous m'avez dit que la prière vous aidait. Alors, puisque vous ne pouvez plus parler, je vais prier pour vous.

J'ai dit un Notre Père à son oreille, et je lui ai redit

le pardon de Dieu. A un moment, j'ai vu quelques gouttes de transpiration sur son visage.

Que se passait-il dans le cœur et dans la tête de cet homme ?

« Je me demande ce qui va encore m'arriver ? » Comment aurait-il pu exprimer de façon plus transparente, plus limpide, plus nette, plus claire, plus vraie, ce qu'il éprouvait en fonction de sa situation, à l'égard de son avenir ?

« Mais c'est long à venir. » Qu'est-ce qui était long à venir ? La guérison, la lumière, le départ, une claire compréhension de ce qui lui arrivait, le don total de lui-même à la fin de cette lutte qui épuisait toute son énergie ?

« C'est long à venir »... l'aurore après une nuit qui n'en finit pas ?

C'est toujours long d'attendre. D'attendre la révélation de l'éternelle présence de Dieu à travers le temps qui dure. D'attendre ce qui va arriver.

« Je suis venu jeter un feu sur la terre, et combien je voudrais que déjà il fût allumé ! » (Lc 12, 49).

« Je dois recevoir un baptême, et combien je suis angoissé jusqu'à ce qu'il soit accompli ! » (Lc 12, 50).

Impatience du désir, de la réalisation. Crainte de la souffrance à subir. Mais, déjà, l'œuvre se précise.

L'attente du diagnostic

Sur le banc d'une allée, en cet après-midi de septembre, calme et doux, une dame est assise à côté de son mari. Je l'ai aperçue à la messe. Je la salue, elle me sourit. Je m'assois à côté d'eux.

— Alors ?

— On attend.

Tout est dit. C'est elle, Mme Ch., qui m'a fait comprendre ce que représente l'attente du diagnostic et l'angoisse qui peu à peu se développe et envahit le cœur.

Je commençais mon ministère à l'hôpital et j'avais quelques difficultés à trouver ma place. J'en avais fait confidence à cette personne qui me rappelait ma mère. Elle m'avait écrit, rentrée à la maison, pour me dire qu'à l'hôpital Dieu a une place plus importante que le médecin.

J'ai cherché ce qui pourrait aider les malades à supporter cette angoisse. Ce mot même m'a renvoyé à Gethsémani, au jardin de l'agonie. « Ils viennent en un domaine nommé Gethsémani, et Jésus dit à ses disciples : “Asseyez-vous ici tandis que je prierai” [...]. Il commença à être envahi par l’effroi et l’abattement [...]. “Mon âme est triste à en mourir” [...]. Il priait pour que, s’il était possible, cette heure passât loin de lui [...]. “Père tout t’est possible : éloigne ce calice de moi, mais pas ce que je veux mais ce que tu veux !” Il revient vers les disciples et les trouve endormis [...]. C’en est fait. L’heure est arrivée [...]. Allons ! » (Mc 14, 32-42.)

Affronter le diagnostic est peut-être plus difficile que de vivre l’heure du trépas. C’est en pensée le sommet du combat, même si ce n’est pas le moment final. Et chacun est seul. Et personne n’en est dispensé.

N’y a-t-il pas un écho de cette mort à soi-même au cœur de toute décision ? « Non pas ce que je veux, mais ce que tu veux », cette prière difficile, redite au long de la vie, éclairera cette heure. Cette attitude ne diminue pas l’épreuve et la souffrance mais permet de dire encore à cet instant : « Père,... si ce calice peut s’éloigner de moi..., mais ce que tu veux. »

C'est fait ou c'est à faire ?

Dans le bâtiment d'urologie, la période post-opératoire oblige le malade à garder une sonde. Les messieurs se déplacent en portant à la main un sac en plastique.

On reconnaît les convalescents à ce signe.

Dans un couloir, derrière une fenêtre, un homme regarde au loin, songeur.

— C'est fait ou c'est à faire ?

— C'est fait !

— C'est mieux que ce soit fait qu'à faire !

— Oh ! Oui !

J'ai parfois dit à des malades dont le moral baissait : « Allons, si demain ça allait mieux, vous auriez honte d'avoir flanché la veille. Courage. »

L'argument n'a pas grande valeur. Avoir le moral qui flanche n'est pas un déshonneur : on peut être amené à revoir les choses autrement, plutôt que de continuer à « s'accrocher » désespérément.

L'attention amicale supplée aux carences apparentes de raisonnement. Mais, cette boutade cache un non-dit : le rapport entre aujourd'hui et demain, l'invitation à voir aujourd'hui en fonction de demain et non l'inverse.

« Et étant partis de là, ils ne firent que passer à travers la Galilée [...]. Il instruisait ses disciples et il leur disait : "Le fils de l'homme est abandonné aux mains des hommes et ils le tueront, et mis à mort après trois jours il ressuscitera." Mais eux ne comprenaient pas cette parole et craignaient de l'interroger » (Mc 9, 30-32).

Nos vies ne sont pas seulement le résultat du passé mais accueil de ce qui va arriver, attente de celui qui va venir. Est-ce si difficile d'envisager un avenir différent, au-delà de l'épreuve ? Ne craignons-nous pas de l'interroger sur ce point ?

La parousie, c'est aujourd'hui ?

Un vieux monsieur a souhaité la visite de l'aumônier. Au pied de son lit, sa fille, sa nièce et quelques autres personnes se retrouvent dans la chambre d'hôpital de ce parent âgé. Ça discute !

« Ah ! M. l'aumônier ! A première vue, on ne vous aurait pas reconnu. Maintenant, les prêtres... Autrefois... Je suis professeur de musique, que voulez-vous, je regrette le chant grégorien. » J'entre à mon tour dans la discussion, mais assez rapidement je suis gêné de sentir que seul le malade ne participe pas à notre conversation.

Je m'approche du lit.

— Et vous, monsieur ?

Il m'interrompt :

— Mon père, vous croyez à la parousie ?

Un peu surpris, je vérifie :

— Le retour du Christ à la fin des temps ? Oui, j'y crois !

— C'est maintenant, n'est-ce pas ?

J'ai une hésitation. Est-il bien maître de sa réflexion ?

— C'est-à-dire que... Si c'est à la fin des temps, ce sera un peu plus tard, dans un certain temps.

— Oui, mais à ce moment-là, il n'y aura plus de temps.

Je suis saisi et ravi.

— Oui, je comprends, vous avez raison. Je vous suis. En effet, nous y sommes.

Ses yeux se sont embués et doucement il s'est mis à pleurer.

Les autres s'étaient tus, mais ne comprenaient pas très bien de quoi il s'agissait. Le temps d'achever leur conversation, l'échange entre le malade et moi était déjà terminé. Il n'avait duré que quelques secondes.

« En ce jour-là [...], il y aura des signes dans le soleil, la lune et les étoiles. Et sur la terre une angoisse [...]. Les puissances des cieux seront ébranlées. Alors ils verront le fils de l'homme venant dans une nuée avec puissance et grande gloire » (Lc 21, 25-27).

Quand Jésus annonçait sa venue, il annonçait la catastrophe. La passion serait le moment de sa résurrection. Toute métamorphose a des allures de mort alors qu'elle est transformation et passage à une vie nouvelle. Ce vieux monsieur, à la foi profonde, vivait la perspective de sa mort comme la rencontre du Christ venant à lui avec puissance et majesté.

Quand je suis revenu le lendemain, sa fille a voulu me féliciter :

— Mon père était très content de votre visite. S'il vous plaît, c'est quoi au fond la parousie ?

J'étais presque content

— Quand on a arrêté les soins, j'ai eu peur.

— Si on arrêtait ces soins, c'est parce que le traitement était terminé, que ça allait mieux.

— J'ai pensé au contraire qu'il n'y avait plus rien à faire. Mais enfin ça va, je n'y pense plus.

— Pardon. Quand on a connu cette peur, on ne l'oublie pas. Je ne voudrais pas être indiscret, mais puis-je vous demander cependant ce que vous avez ressenti à ce moment-là ?

— J'étais presque content. Mais on n'ose dire ça à personne !

« "L'heure vient où je ne vous parlerai plus en paraboles, mais où je vous entretiendrai ouvertement du Père [...]. Je suis sorti du Père et je suis venu dans le monde. Je quitte le monde à son tour et je m'en vais vers le Père." Les disciples disent : "Voici maintenant que tu parles ouvertement et ne dis aucune parabole. Maintenant nous savons que tu sais tout [...]. Nous croyons que tu es sorti de Dieu." [...] "Vous croyez ? ! L'heure vient [...]. Vous serez dispersés et me laisserez seul ; mais je ne suis pas seul parce que le Père est avec moi. Je vous ai dit ces choses, afin qu'en moi vous ayez la paix ; dans le monde, vous allez avoir de l'oppression ; mais ayez confiance : j'ai vaincu le monde'' » (Jn 16, 25-33).

André Malraux a rapporté ce mot prononcé par un vieux sage de l'Inde : « Si un jour, au moment où tu verras la mort venir à toi, tu sens un sourire frôler tes lèvres, ne le chasse pas, il est de Dieu. »

Ma robe noire

Noël. Pendant le repas de midi, le téléphone sonne : « Pourriez-vous passer ? Une famille demande que vous veniez voir leur vieille maman qui ne va pas bien. »

Quatre ou cinq personnes d'une cinquantaine d'années attendent. Dans le couloir, nous faisons le point sur la santé de cette personne très âgée dont l'état se dégrade rapidement : « On a pensé à vous appeler. Elle est croyante. Ne la brusquez pas ! »

Ils sont discrets, réservés, sans exigence particulière. Ils ne savent pas très bien quoi faire. Débordés par l'événement : ils vont perdre leur maman. Je n'ai pas trop de peine à les convaincre d'assister à cette prière et de revenir dans la chambre.

— Bonjour, madame. Vous savez que c'est Noël aujourd'hui. Je suis prêtre et je suis venu vous dire bonjour. Vous souhaiter un bon Noël, malgré tout.

Et puis j'improvise sur un thème qui me tient à cœur : le vrai Noël n'est pas seulement l'anniversaire de la naissance de Jésus. C'est surtout, depuis qu'il est venu, l'annonce de son retour. Le vrai Noël est devant nous. Est-ce que j'ai développé ce thème pour me raccrocher à quelque chose de sûr, afin de faire face à une situation et à des personnes inconnues ? Le temps de sentir l'ambiance et les réactions. C'est aussi pour fonder notre réflexion sur quelque chose de vrai, une réflexion personnelle et pas seulement la répétition de formules toutes faites.

Mais cette réflexion prend à l'instant une dimension qui nous échappe. L'attention et l'assentiment de cette dame donnent à cette promesse une actualité et une densité imprévues.

— Si vous le voulez bien, nous allons prier dans cette perspective.

— Oui.

— L'âge et la maladie nous parlent du terme de la vie. Noël nous annonce une rencontre, un achèvement et un commencement. Le Christ venu déjà à Noël, nous accompagne sur ce chemin. C'est le sens de notre prière et du sacrement des malades. D'accord ?

— D'accord.

— Au nom du Père et du Fils... Tout le monde se signe, chacun est consentant, mais retenu et inquiet.

— Je confesse à Dieu... La malade, faible mais très présente, récite ma prière avec ferveur et puis elle s'interrompt :

— Dites, mes enfants, s'il m'arrive quelque chose, vous me ramènerez à la maison ?

— Oui, maman. Sois sans crainte, nous le ferons.

Evangile : « Ne craignez pas, voici que je vous annonce une grande joie destinée à tout le peuple car il est né, aujourd'hui, un Sauveur [...] » (Lc 2, 10-11).

Après l'imposition de la main sur la tête du malade, une prière dit : « Voici notre sœur, Seigneur ; Toi qui es tendresse pour les pauvres, espoir pour ceux qui te cherchent et amour pour tous, accorde-lui le secours de ton Esprit Saint ; fait grandir en elle la vie de Jésus Christ qu'elle a reçue à son baptême. Car tu n'es pas un Dieu des morts, mais le Dieu des vivants, Toi qui règne pour les siècles des siècles. »

— Dites, mes enfants, vous me mettrez ma robe noire, vous savez, celle qui est dans l'armoire de ma chambre ?

— Oui, oui, maman...

Recueillie, elle ne voit pas ses enfants pleurer. Ces recommandations ne sont pas des « distractions ». Et les larmes de ses enfants ne sont pas un refus de l'espérance annoncée. Ils se disent au revoir au cœur de la prière.

On a parfois du mal à concevoir la présence de Dieu. Il est difficile d'en rendre compte, d'en parler convenablement. Mais cette présence les uns aux autres, cet échange vrai, spontané, nous pouvons les vivre, nous les offrir mutuellement. Ils peuvent nous aider à comprendre cette présence du Seigneur et surtout d'y communier, puisque c'est lui qui nous permet de communier à ce point dans l'espérance.

Je me sens légère

Une dame était venue me prévenir de la présence de sa voisine à l'hôpital : « Ne dites pas que c'est de ma part, mais ne tardez pas. »

Je suis resté quelques instants. Pour dire que j'avais appris qu'elle était là et pour qu'elle sache que j'étais là aussi ! J'ignorais tout de son état de santé et de ses sentiments.

Sa fille est sortie derrière moi : « Je vous remercie de ne pas être resté longtemps. » On a un peu parlé dans le couloir, de la sonde gastrique parce qu'elle ne peut plus s'alimenter, de sa faiblesse.

La deuxième fois, nous étions déjà en terrain connu. Elle m'a accueilli en disant :

— Ah ! M. l'aumônier, je suis contente de votre visite.

Elle souffrait beaucoup et laissait entendre qu'elle savait qu'elle ne guérirait pas.

Quelques jours plus tard, quand je suis entré dans la chambre, elle dit :

— Je venais de demander à ma fille d'aller vous chercher pour me donner les derniers sacrements.

— Pourquoi les derniers ?

— Parce que c'est la fin !

Il y avait là sa fille et une amie.

Nous avons prié. Le texte d'Evangile choisi disait : « Venez à moi vous tous qui êtes las et trop chargés : et je vous donnerai le repos. Prenez sur vous mon joug, et recevez mes leçons, car je suis doux et humble de cœur, et vous trouverez du repos pour vos âmes. Car mon joug est facile à porter, et mon fardeau est léger » (Mt 11, 28).

— Avez-vous le souvenir de vous être sentie si faible ?

— Abandonnée, oui, au moment de la guerre. Mon mari était prisonnier. Je venais d'arriver à Paris. J'étais seule, toute seule...

Et ils s'étaient retrouvés. Ce souvenir était à l'heure, au rendez-vous. Il exprimait sa fragilité mais aussi son espérance.

J'ai imposé l'huile sur le front, les yeux, les oreilles, les mains, en disant la formule : « Que le Seigneur, en Sa grande bonté, vous réconforte par la grâce de l'Esprit Saint. »

Sa fille pleurait doucement. Elle, elle était calme, silencieuse, les yeux ouverts, tout occupée par ses pensées.

Nous sommes restés en silence. Après un temps j'ai dit :

— Vous ne dites rien. Vous pensez beaucoup. Est-il indiscret de vous demander à quoi vous pensez ?

— Je suis heureuse ! Mais qu'est-ce que je suis heureuse !

Elle s'animait.

— Je me sens légère. D'ailleurs je ne sens même plus mon mal. Comme je suis heureuse !

A la morgue

Parfois des familles me demandent de prier avec elles au moment de la mise en bière. Moment d'émotion. Quand on ferme le cercueil, c'est vraiment le départ. Ce geste irréversible scelle la séparation. Quand je peux répondre à cette demande, je le fais. Il ne s'agit pas d'enterrement à la sauvette.

« Après tous nos regards qui ont croisé les siens, accorde lui, Seigneur, de contempler ton visage. »

La litanie s'égrène sur ce thème. Et puis il est habituel de lire quelques lignes d'Evangile. J'ai découvert un jour l'actualité étonnante de l'une de ces pages et j'aime à y revenir.

« Encore un peu de temps et vous ne me verrez plus et puis encore un peu de temps et vous me verrez. Quelques disciples se dirent les uns aux autres : "Qu'est-ce que signifie ce qu'il nous dit : un peu de temps et vous ne me verrez pas ; puis un peu de temps encore et vous me verrez, parce que je m'en vais au Père ?" » (Jn 16, 16-17.)

Dans ces circonstances ces paroles résonnent

comme une promesse. On ne sait pas bien s'il s'agit du défunt ou de Jésus ! Qui parle ainsi ?

« En vérité, je vous le dis, vous pleurerez, vous vous lamenterez, tandis que le monde se réjouira » (Jn 16, 20). Il n'est pas nécessaire de donner des explications ni de chercher à interpréter. Nous sommes au cœur de la tristesse et de la défaite.

« Vous serez accablés de tristesse, mais votre tristesse se changera en joie » (Jn 16, 20). Je tremble toujours au moment de prononcer ces mots. Peut-on oser exprimer en cet instant une telle promesse ? Mais le texte enchaîne : « La femme au moment d'enfanter éprouve de la tristesse, parce que son heure est venue ; lorsqu'elle a donné le jour à l'enfant, elle ne se souvient plus de son tourment, dans la joie de ce qu'un homme est venu au monde. Je vous reverrai et votre cœur se réjouira et votre joie nul ne pourra vous la ravir » (Jn 16, 21-22).

Puis-je oser un paradoxe ! C'est moins le manque de foi qui nous empêche de croire que le manque de vitalité, le fait de ne pas être présent à l'événement, aux autres. L'intensité de vie nous fait réentendre les paroles de l'Evangile dans toute leur force. Proximité de la vie, révélation de la profondeur du vécu, lumière qui vient éclairer nos pas pour nous inviter à avancer.

D'ailleurs l'Evangile poursuit : « En vérité, en vérité, je vous le dis, quoi que vous demandiez au Père, Il vous l'accordera en mon nom. Jusqu'à présent, vous n'avez rien demandé en mon nom ; demandez et vous recevrez, afin que votre joie soit entière » (Jn 16, 23).

Quelle est donc cette demande que nous n'avons jamais su formuler jusqu'à présent ? Faut-il que nous soyons dans ces circonstances pour découvrir un aspect de la prière jusqu'alors inconnu ? Circonstances qui nous situent de plain-pied dans l'intimité de Dieu !

Rencontres

Je ne demande rien à Dieu

« Je ne prie pas pour demander à Dieu ma guérison, mais quand ça ira mieux, j'irai le remercier dans votre chapelle. »

La réflexion de cet homme dans la force de l'âge me poursuit encore aujourd'hui. Il refuse que la maladie le mette à genoux. Je ressens bien sa réticence. Sa dignité l'empêche de se situer devant Dieu comme un mendiant. Il y va même de la dignité de Dieu. J'entrevois le refus d'un certain marchandage : si je te prie, tu me guéris, ou encore : je ne te prierai que si tu me guéris. Cette note de défi n'est pas à exclure. Mais il veut que sa prière par-dessus tout soit d'abord action de grâce. Et je m'en réjouis.

« Dix lépreux vinrent à sa rencontre, qui se tinrent à distance, ils élevèrent la voix : "Jésus, maître, aie pitié de nous !" A cette vue il leur dit : "Allez vous montrer aux prêtres." Pendant qu'ils y allaient, ils furent purifiés. Or, l'un d'entre eux lorsqu'il se vit guéri, revint en glorifiant Dieu à haute voix et se jeta aux pieds de Jésus, le visage contre terre, en lui rendant grâces. Or c'était un Samaritain. Prenant la parole Jésus lui dit : ''Est-ce que les dix n'ont pas été purifiés ? Et où sont les neuf autres ? Il ne s'est trouvé pour revenir rendre gloire à Dieu que cet étranger !'' Puis, il dit : ''Lève-toi, va, ta foi t'a sauvé'' » (Lc 17, 12-19).

Jésus les envoie auprès des prêtres afin que ceux-ci constatent la guérison et les réintroduisent dans la communauté. La lèpre leur interdisait de s'approcher. Ils étaient impurs.

Pour celui qui revint sur ses pas, la « reconnaissance » était plus importante que la réintégration sociale et religieuse. Il a rencontré Jésus en dehors du Temple et des autorités religieuses.

Il me semble que ce malade a lui aussi déjà rencontré Jésus, hors de la chapelle, par sa reconnaissance anticipée, même si la guérison n'est pas assurée !

Je suis seule dans la vie

« Je suis toute seule à Paris, je n'ai pas de famille. Quand le docteur m'a fait transporter à l'hôpital, personne ne m'a vue partir. Mais, voilà que des voisins viennent me voir. Je ne sais pas comment ils ont appris que j'étais là. Cela m'a fait plaisir ! Vous ne pouvez pas savoir la joie que ça m'a fait ! J'ai de la chance. »

« Car celui qui vous donnera à boire pour la raison que vous êtes du Christ, je vous dis en vérité qu'il ne perdra pas sa récompense » (Mc 9, 41).

J'ai toujours été sensible à la reconnaissance rayonnante des plus pauvres.

« Tout l'or du monde ne saura jamais me donner l'amour que tu m'as donné. »

Ame d'élite

Avec certains malades se crée d'emblée un lien chaleureux. Cette dame aux cheveux blancs me portait de l'affection. J'avais plaisir à la visiter. Une personne de belle stature, toujours très propre, accueillante, malgré le mal qui la minait.

Notre entente se fondait aussi sur une intelligence des choses de la foi. Cette attitude de sa part ne manquait jamais de me surprendre. Elle comprenait tout : la vie, la mort, la croix, la souffrance. Je n'avais pas à prendre de précautions particulières pour dire l'Evangile ; qu'il faut mourir pour vivre. Elle manifestait une compréhension étonnante, tout en marquant une certaine réticence, une réserve à l'égard de l'Eglise. Pour l'encourager, je lui avais dit qu'elle avait une âme d'élite. Je le pensais vraiment.

Elle m'a raconté un jour qu'elle avait eu, dans sa vie de femme, un amour coupable. Une passion merveilleuse, extraordinaire. Son mari lui avait laissé le choix. Elle avait opté pour le devoir et la justice à l'égard de cet homme. Cette aventure demeurait dans sa vie comme un trésor enfoui. Ce mélange de bonheur et de devoir avait peu à peu produit cette attitude merveilleuse faite de compréhension et de bienveillance que j'ai rencontrée également chez d'autres personnes qui ont beaucoup aimé et beaucoup souffert.

« C'est pourquoi, je le dis : ses péchés, ses nombreux péchés, lui seront pardonnés, parce qu'elle a beaucoup aimé » (Lc, 7, 47).

Cette phrase ne s'adresse pas seulement à Marie Madeleine. Elle ne concerne pas une seule catégorie sociale. Le Christ n'a pas dit que Marie Madeleine avait bien fait. Mais j'entends dans sa parole une invitation à aimer, à oser aimer, à oser aimer la vie. Pourquoi sommes-nous si restreints dans nos amours et dans nos engagements ? Peur de souffrir, peur de se tromper ? Il vaut mieux vivre sans risque et sans frais !

Au soir de sa vie brillait comme une perle cet amour interdit serti dans l'écrin d'un sacrifice qui s'était refusé à faire du mal.

Au risque de scandaliser les prudes et les prudents. Aimer sera toujours la voie royale pour entrer dans le mystère de Dieu.

Je me suis dit : il faut y aller

Madeleine s'est aperçu un jour qu'elle ne voit presque plus. Son champ visuel s'est réduit. Au volant de sa 2 CV elle a frôlé l'accident parce qu'elle n'a pas vu venir une voiture sur sa gauche. Quelque temps plus tard, nouveau risque d'accident parce qu'elle n'a pas vu une voiture venir sur sa droite. C'était plus grave. Un examen du fond de l'œil a révélé une tumeur au cerveau.

Madeleine doit accoucher prochainement d'une petite fille, son troisième enfant. Les médecins ont décidé d'avancer la césarienne prévue pour opérer plus tôt cette tumeur qui a grossi très vite et qui comprime le nerf optique. Quel genre de tumeur ? Cancéreuse ou non ? On peut espérer que cette excroissance anarchique est en rapport avec la période de gestation. Mais, pour le moment, on ne sait rien et c'est la catastrophe.

Quand je vais la voir à la maternité, elle est lucide, courageuse, mais écrasée par cette nouvelle et cette attente. « Je n'arrive pas me raccrocher. » Comme si un trou sans fond s'était ouvert sous ses pas et la chute n'en finit pas. Comme si elle glissait sans pouvoir s'accrocher à aucune prise. Et puis, cet enfant, son mari, ses deux garçons ! Elle dit tout cela et puis elle ajoute :

— Mais ça va un peu mieux quand même.

— Quoi donc ? Que s'est-il passé ?

— Je me suis dit : il faut y aller.

Il n'y avait rien de plus à dire.

— Vous avez raison. La vie est devant. Dieu est devant et nous tend la main.

Je suis allé la revoir après la naissance, au moment même où on l'emmenait dans un fauteuil roulant, voir sa fille pour la première fois, à travers les vitres de la couveuse. Elle partirait le lendemain vers l'autre hôpital où elle serait opérée.

Là-bas, l'opération s'est bien déroulée. Ensuite, on a attendu les résultats de laboratoire. Le jour où je suis allé la voir, elle venait de casser un vase de fleurs car le nerf optique était encore traumatisé et elle ne voyait pas le relief. Retrouverait-elle une vue normale ? Quelles seraient les suites de cette opération, de cette tumeur ?

Après avoir fait visite à son épouse, le papa allait voir tous les jours Amélie qui savait déjà tourner la tête vers cette voix qu'elle reconnaissait.

Aujourd'hui, tout va bien. J'ai fait le baptême et participé à la réunion de famille, joyeuse et détendue, mais avec un fond de sérieux quelque peu inhabituel.

Je garde l'impression que tout ce que je pouvais dire à cette cérémonie pour célébrer l'amour de Dieu, ou auparavant à l'hôpital pour encourager Madeleine, susciter l'espérance, tout cela s'efface devant les quelques mots que m'a dit cette malade : « Je me suis dit, il faut y aller. »

Personnellement, je n'ai rien fait. J'ai été seulement le témoin de ce courage et de cette confiance en la vie.

Un passage de l'Evangile me revient en mémoire : « Jésus dit à ses disciples : "Quand vous aurez fait tout ce que vous deviez faire, dites-vous encore : nous sommes des serviteurs inutiles" » (Lc 17, 10).

Il m'était déjà arrivé de faire cette prière. A la fin de ma première année de sacerdoce. J'étais à bout de souffle. Je m'étais donné sans compter. Cette phrase avait jailli un soir dans ma prière et j'avais ajouté : « Merci, Seigneur, de me donner cette chance de travailler à votre royaume. »

A l'hôpital, j'ai découvert, plus qu'ailleurs, que la lutte pour le royaume rejoint la lutte pour la vie. Dieu est vie. Ici, j'ai appris à aimer la vie, comme jamais, sans réserve.

Un cancer

Quand il est allé consulter, son ami docteur n'a pas voulu lui dire le nom de la maladie. Mais, médecin lui-même, au vu de l'analyse de son confrère, il a bien compris qu'il ne pouvait pas s'agir d'autre chose. Il a dit à une amie, qui me rapporte l'événement : « Quand je suis sorti, j'ai eu l'impression qu'on m'avait mis un petit enfant dans les bras. La seule question était : qu'est-ce que je vais en faire ? »

Il est inutile de raconter la suite. Les traitements, et puis des soins de charlatans auxquels ce médecin s'était mis à croire. Rien pourtant n'a effacé cette lucidité première et accueillante. Et cette amie a pu lui dire avec la même clarté, la même vérité, lors d'une dernière visite : « C'est peut-être la dernière fois que je viens te voir. »

Aujourd'hui, elle me parle de la présence dans sa vie de cet homme admirable. Présence discrète et amicale : « J'ai parfois l'impression que la porte qui s'ouvre sur l'autre monde bat dans les deux sens et ne se ferme pas. »

« Encore un peu de temps et vous ne me verrez

plus et puis un peu de temps et vous me verrez. Vous pleurerez [...]. Mais votre tristesse se changera en joie. Maintenant, vous êtes dans la tristesse, mais je vous reverrai et votre joie, nul ne pourra vous la ravir. En ce jour-là, vous ne m'interrogerez plus sur rien » (Jn 16, 19-23).

J'ai l'impression qu'à son tour, il lui a mis ce bébé entre les bras.

Quand il nous arrive de découvrir que pour une part, le règne de Dieu est entre nos mains, un voile se déchire et notre foi devient tout autre.

Ma première malade, une infirmière

Evelyne a été opérée. Elle a subi une ablation de glandes sous le bras. Celui-ci est tout gonflé. Tout le monde sait que c'est un cancer. Elle aussi. Ses dénégations le manifestent.

Courageuse et volontaire, elle va bientôt reprendre son travail. Mais, entre-temps, pendant sa convalescence a lieu la visite du pape à Paris. On a demandé à Evelyne de dire une intention de la prière universelle à la messe qui aura lieu sur le parvis devant Notre-Dame. Elle a appris, lors d'une répétition, qu'elle pourrait communier de la main du pape.

Elle m'a dit : « Tu ne pourrais pas venir m'aider à mettre les choses au point, parce que ça me fait plaisir de communier de la main du pape, mais on n'a pas tout à fait les mêmes idées sur certains points, lui et moi ! »

A cette messe, je ne m'en suis pas rendu compte sur le moment, le pape, les personnalités que j'ai vues défiler devant moi — le président de la République, le chef du gouvernement, les ministres et tous les autres — comptaient moins à mes yeux qu'Evelyne.

L'accueil des officiels et le déroulement sans surprise de la liturgie soulignaient par contraste l'importance sans rivale de cette petite Bretonne, seule à Paris, qui luttait contre la mort et, malade elle-même, soignait les malades. Admirable et inconnue.

« Ayant levé les yeux, Jésus vit des riches qui jetaient leur offrande dans le trésor. Il vit aussi une pauvre veuve qui y jetait deux petites pièces. Il dit : "Vraiment, je vous dis que la pauvre veuve que voici a jeté plus que tous les autres. Car tous ceux-ci ont jeté de leur superflu dans les offrandes ; mais elle, elle a jeté de son indigence, tout ce qu'elle avait pour vivre" » (Lc 21, 1-4).

Plus tard, j'ai vu une photo de presse de cette cérémonie. On y voit un grand podium, les prêtres groupés en haut des marches, tournés vers l'autel et un prêtre isolé, en aube, assis sur la dernière marche, tournant le dos à tout le monde, la tête entre les mains. C'est un collègue, également aumônier d'hôpital.

La maladie fait du malade un marginal. Ceux qui accompagnent les malades épousent quelque peu cette marginalité. Je m'en suis rendu compte ce jour-là, avec surprise. Mais cette situation permet de prendre ses distances à l'égard de tous les aspects factices de la société et de vérifier les vraies valeurs.

Tout ministère sacerdotal est jalonné par ces rencontres. Mais la foi vécue par les plus simples et les plus pauvres provoque toujours en moi l'admiration et renouvelle ma foi.

Tes péchés sont remis

Michel est un prêtre d'une quarantaine d'années. Les cheveux longs, déjà un peu grisonnants. Allure libre. Il est aussi d'un dévouement sans réserve pour ses paroissiens de banlieue, les pauvres, les handicapés. Il a, dans son secteur, la responsabilité du catéchisme aux enfants retardés et débiles mentaux. Il réalise toutes ses activités avec un dynamisme extraordinaire, avec la même fougue que je lui ai connue au séminaire pendant les matchs de football ou de basket. Un homme tout entier donné à Dieu et aux autres, sans retour sur soi, débordant de générosité et de charité.

On va peut-être lui couper un bras, le droit. Un cancer. Il faut gratter l'épaule. De toute manière, il ne pourra plus guère se servir de son bras. Il m'a confié : « Je ne leur ai pas dit que j'avais aussi mal à un genou. Il n'y a pas obligatoirement de lien avec ce que j'ai à l'épaule... »

Il compte garder toutes les activités de son ministère actuel. Il ajoute : « J'ai écrit aux paroissiens que je ne veux surtout pas de pitié, ni même de prières.

Qu'est-ce que ça veut dire ? Comme si le Seigneur n'était pas toujours avec nous ! »

Je n'ai pas l'impression que son enthousiasme soit feint ou forcé, comme lorsqu'on cherche à se convaincre soi-même.

Immédiatement, j'ai eu envie de lui dire la phrase de Jésus au paralytique : « Tes péchés sont remis » (Mc 2, 5).

Car Jésus ne commence pas par guérir. La guérison ne viendra que plus tard et comme secondairement. « Tes péchés sont remis », parce que, pour Michel également, le principal n'est pas la guérison mais la poursuite de sa tâche, de son service, l'amour de l'Evangile.

« Tes péchés sont remis », parce qu'il faudra te déposséder sinon de tes activités, au moins d'une part de l'énergie et de l'aisance que tu possédais. Cette vitalité qui entretient, à nos propres yeux, une bonne image de notre personne. Il te faudra encore plus d'abnégation. Que ton amour soit donc purifié de tout retour sur toi pour accomplir ton travail, et réaliser plus avant ta vocation.

Ce n'est pas la guérison qui est la plus importante mais la transparence à l'égard de Dieu.

Des baisers ?

Dans un accident de voiture, un jeune homme de dix-sept ans a perdu en même temps son père et sa mère. Il était dans la voiture. Il a été lui-même gravement blessé. C'est un garçon affectueux et plein de vie. Ses camarades et leurs parents ont été bouleversés. Une de ces mamans est venue le voir à l'hôpital, où il fut pendant quelque temps entre la vie et la mort.

Il a mis sa tête dans ses bras. Et puis il a murmuré : « Si vous saviez comme j'ai envie de baiser ! » La maman n'a pas bronché. Elle était pourtant surprise et choquée. Elle s'est souvenue que ce garçon usait parfois d'expressions triviales. Après son coma, il a fait un peu de confusion mentale. Ne prend-il pas un mot pour un autre ? Ou ne serait-ce pas, après ce coup terrible, l'annonce que la vie reprend ?

Plus tard, en rentrant à la maison, cette dame fut prise de remords. Elle a soudain entendu la phrase autrement : « Si vous saviez comme j'ai envie de baisers. » Pourquoi n'a-t-elle pas entendu le *s* ? Pourquoi a-t-elle entendu la phrase avec baiser sans *s* ? Mais y avait-il un *s* ?

Elle ne le saura jamais, ni elle, ni vous, ni moi, ni le garçon lui-même sans doute. Parce que la phrase peut avoir les deux sens. Ces deux interprétations ne sont d'ailleurs pas exclusives l'une de l'autre. Les malades usent de paroles qui expriment étonnamment l'ambiguïté et l'ambivalence des situations. Formules qui comportent plusieurs niveaux d'interprétation.

Autrefois les devins ont marqué la légende parce que leurs augures s'exprimaient toujours en termes sibyllins. Volonté de brouiller les pistes ou seule expression possible d'une réalité encore informe, livrée à une oreille attentive mais captive aussi de ses propres désirs ?

« Que celui qui a des oreilles entende. Les disciples s'étant approchés dirent à Jésus : "Pourquoi leur parles-tu en paraboles ?" Or il répondit : "Parce qu'à vous, il a été donné de connaître les mystères du règne des cieux, mais qu'à ceux-là, cela n'a pas été donné... Et donc, je leur parle en paraboles, parce qu'ils regardent sans regarder et écoutent sans écouter et sans comprendre" » (Mt 13, 9-14).

Monsieur Dupont

M. D. a connu le camp de concentration. Il m'a prévenu : « La foi peut-être... un jour, mais l'Eglise jamais. » Sa femme était venue me voir pour me signaler son hospitalisation, me demander d'aller le voir et me donner quelques points de repère pour mieux l'aborder. Elle souhaitait qu'il se confie et peut-être qu'il se confesse. Elle me mettait en garde contre son caractère un peu bourru.

Nous parlions avec beaucoup de franchise. Le silence de l'Eglise pendant la guerre à propos des camps de concentration n'était pas oublié, mais nous avions assez vite et d'un commun accord remis la hiérarchie à sa place !

Je prenais plaisir à ces rencontres amicales et lui aussi, je crois. J'ai toujours trouvé étonnant que l'on puisse lier des relations aussi profondes entre personnes qui ne se sont jamais vues. Quand le dialogue peut se nouer. Quand l'un et l'autre peut être vrai : parler en disant ce qu'il ressent, ce qu'il pense en vérité. Il me racontait parfois son passé ; me faisait part de ses réflexions. Jamais je ne lui ai caché ma foi, disant simplement comment je ressentais ce qu'il me disait et comment tout cela évoquait pour moi des aspects de la vie de foi.

Après son opération, il était très fatigué.

— Vous voyez, je n'écoute même plus la musique. Pourtant vous savez combien j'aime ça. Maintenant je pense simplement. Une chose suffit à occuper mon esprit. Depuis ce matin, par exemple, je pense au sourire de l'infirmière qui est venue faire les soins.

— Permettez-moi de vous dire, en respectant tout à fait vos convictions, que chez nous on appelle ceci « méditation ». Est-ce que je peux vous demander où vous mène cette réflexion ?

— Navré de vous décevoir : nulle part !

— Gardez cette piste, c'est la bonne. Si vous connaissiez le terme du chemin, ce serait une impasse !

C'est quand disparaît le rivage que commence le voyage. Si le chemin des croyants était une route balisée, où serait la foi ?

Fugace

— Votre amie m'a signalé votre présence. Vous êtes arrivée en catastrophe. Ça va un peu mieux ?

En effet, l'alerte était passée.

— Oh ! vous savez, s'il m'était arrivé quelque chose, j'aurais posé le fardeau et j'aurais dit « bon débarras » !

Quel poids de fatigue et de souffrance cette femme de cinquante ans avait-elle dû supporter pour ressentir un tel besoin de repos ?

Une amie était à ses côtés. J'ai prononcé quelques mots d'encouragement. Le lendemain, je lui ai dit que j'avais ressenti de sa part un profond désespoir.

Depuis trente-cinq ans, m'a-t-elle confié, un de ses enfants gravement perturbé ne lui avait pas laissé un seul instant de repos ni de tranquillité. Une prise en charge dans un appartement par des éducateurs soignants lui permettait enfin de souffler. Et elle s'était effondrée.

Monsieur B.

Dans l'ambulance qui le conduit à l'hôpital, M. B. sent que l'attaque de paralysie se résorbe un peu. Le médecin lui a fait deux piqûres avant le départ et le sang circule mieux. La parole devient moins confuse.

Je lui ai demandé quel avait été son sentiment pendant le voyage, son impression profonde, l'objet de ses pensées.

— J'étais curieux !

L'étonnement dû à la surprise de l'attaque se doublait donc de curiosité. La voiture l'emmenait à l'hôpital certes, mais où encore ?

Les opérations se sont succédé pour favoriser une meilleure circulation. Un pied a été en partie amputé pour juguler l'arthérite. Je le revois deux mois plus tard. Il me montre ses cicatrices, son pansement. Il avait déjà dit qu'il aurait préféré faire l'économie de toutes ces opérations, mais il ne se plaint pas. Il est d'un âge avancé, il a dit quelquefois son désir d'en finir.

Il me confie :

— Je commence à voir le bout du tunnel.

— La lumière après la nuit ?

Une petite moue dubitative me répond. Mon expression a dépassé sa pensée. Puis il me regarde, complice :

— Toujours la curiosité.

Il me dit ainsi sa reconnaissance d'avoir été attentif à ce sentiment qui l'avait alors envahi dans l'ambulance et qu'il m'avait confié. Peut-être craignait-il de ne pas être compris, d'être mal jugé. « Curieux », à cette heure ! A cet âge !

Je cherche dans l'Evangile un passage qui pourrait coïncider avec cet état d'esprit.

Jésus a dit un jour en pensant au dernier combat qui l'attendait : « Mais je dois recevoir un baptême ; et combien je suis angoissé jusqu'à ce qu'il soit accompli » (Lc 12, 50).

Nous savons que la croix va venir. Nous imaginons que Jésus souhaite que l'épreuve soit courte. « Faites vite ! » Et si s'était mêlé à ce désir cette curiosité dont me parle M. B. et que j'ai retrouvée aussi chez d'autres personnes, les plus « spirituelles » qu'il m'a été donné de rencontrer. A cause de son amour de la vie et de Dieu son père, Jésus pouvait bien être saisi par la curiosité devant ce qu'il allait découvrir. Pourquoi ne penserions-nous qu'à sa crainte de souffrir et si peu à l'émotion, à la joie de rencontrer le Père ?

Détresses

Pauvre Jésus, même son père l'a abandonné

Cet homme a travaillé toute sa vie dans la restauration. D'hôtels en restaurants, il a navigué sans arrêt. Il est, de plus, étranger. Sans port d'attache aucun.

Seul un collègue à la retraite, aimable et dévoué, s'occupe de lui. Il m'a demandé de rendre visite à son ami malade.

Je trouve le malade fatigué. Il dit sa solitude. Sans connaître ses opinions mais pour le réconforter, pour lui montrer qu'il n'est pas tout seul, je lui dis que le Christ a eu aussi ce cri : « Mon Dieu, mon Dieu, pourquoi m'as-tu abandonné ! » (Mc 15, 34.)

— Pauvre Jésus, même son père l'a abandonné.

Je voulais lui dire que Jésus nous accompagnait pour traverser l'épreuve. Que l'Evangile nous encourage malgré tout à travers toutes ces difficultés. Que cette épreuve est source d'espérance puisque Jésus en a triomphé. Et lui m'a renvoyé une image du désespoir de Jésus que je n'avais jamais approfondi à ce point. Je n'avais pas encore compris que Jésus avait dû se sentir vraiment abandonné.

Un malade anxieux

— Ce qui compte, c'est d'arriver à se persuader que rien ne change dans le passage.

— Que rien ne change quand tout change ? Que la vie continue ?

A sa manière, ce malade me redit : « Celui qui voudra sauver son âme, la perdra ; mais celui qui perdra son âme à cause de moi, la retrouvera » (Mt 16, 25).

Gérard

Son lit était à côté de la porte. La porte était toujours ouverte. Le visage de cet homme d'une trentaine d'années criait l'angoisse.

Je me suis arrêté pour lui dire bonjour, prendre de ses nouvelles. Elles n'étaient pas bonnes. A mots couverts il a évoqué « une issue fatale ». J'ai parlé avec lui de cette éventualité. Son visage peu à peu s'est transformé et s'est apaisé.

Je suis venu le voir tous les jours. Il ne m'accueillait pas avec un grand sourire. Non, il avait le « masque ». Nous parlions et quand il pouvait évoquer l'avenir, confier son angoisse, il se détendait.

Un après-midi, sa femme se trouvait à ses côtés. Habituellement elle ne venait que le soir, après son travail. Il n'allait pas bien et en était conscient... et inquiet.

Nous avons parlé du mariage. Elle me disait que les grâces du sacrement permettent de traverser les épreuves, les difficultés de la vie à deux. Gérard écoutait. Tout en parlant, elle lui caressait le bras, et il s'est endormi.

Seule. Abandonnée ?

Dominique avait à peine vingt ans. Une grave maladie des os la tenait alitée. Hospitalisée, elle entendit un jour les médecins conclure qu'il n'y avait plus rien à faire.

— Ils venaient de m'examiner. Ils sont sortis dans le couloir. Ils se sont mis à parler. Mais, dans la chambre, de l'autre côté de la porte fermée, je les ai entendu dire qu'il n'y avait plus rien à faire. Alors je me suis dit : il y a peut-être quand même, dans le monde, quelqu'un qui peut quelque chose pour moi.

C'est ainsi qu'elle s'est remise à prier. Elle a retrouvé la foi.

Elle est aujourd'hui aide-soignante. Mais qui peut mesurer ce que représente une telle expérience pour une jeune fille de vingt ans !

Se perdre et se sauver

Dans la petite unité de psychiatrie.

Une chambre à deux lits.

Une dame m'a demandé de venir la voir. On parle un peu. Elle désire surtout que je lui apporte la communion dimanche prochain.

Avant de sortir, je me tourne vers l'autre lit pour dire un mot amical. L'aumônier pourrait-il ne parler qu'aux seuls chrétiens ?

— Et vous, madame, d'où êtes-vous ?

— De partout !

— Ça présente un avantage. On ne peut pas se perdre.

— C'est aussi très difficile de se sauver !

Je suis revenu voir cette malade. Ce dialogue m'avait intrigué. Elle m'a raconté sa vie et ses voyages, ses désespoirs et ses déceptions. Mais je n'ai rien appris. Nous nous étions déjà tout dit, dès les premiers mots.

Les vrais voyages ne sont pas touristiques mais mystiques. On en revient tout autre.

Je ne sais plus où j'en suis, mais beaucoup se sentent interrogés

Une des premières malades que j'avais rencontrées à Cochin ne va pas bien du tout.

Je l'avais rencontrée alors qu'elle attendait le diagnostic. Elle m'avait fait comprendre l'angoisse de Gethsémani.

Après un traitement à Villejuif, elle était revenue et elle allait mourir.

Il s'est alors produit un phénomène étonnant. Chaque jour, je recevais une ou deux demandes pour passer la voir. Chaque fois que je me présentais une des filles faisait barrage et m'empêchait d'entrer dans la chambre : « Elle est fatiguée. Elle dort. Ce n'est pas le moment. » Le ballet a duré plusieurs jours.

J'ai compris l'affolement de ses enfants. Le personnel de service m'avait confirmé cette perturbation dont il faisait également les frais. Mais tout le monde est prêt à comprendre un tel désarroi en ces circonstances.

Pourtant je me doutais que cette dame aurait aimé me voir. Et, tout en respectant la décision des enfants, j'ai fait valoir que je pouvais lui dire mon amitié.

— Comment ça va ?

— Pas bien. Je ne sais pas ce qui m'arrive. Ça allait. Les médecins ont dû se tromper quelque part.

Elle ne savait plus où elle en était. Perdue.

Et ses filles disaient : « Mais non, maman, ça va aller. »

La conversation évitait le sujet de la maladie, et encore plus l'éventualité d'une échéance funeste. Pendant plus d'un quart d'heure, on a ferraillé. Sujets abstraits qui m'empêchaient de m'adresser à la malade, de dire un mot de la situation, d'évoquer l'espérance au cœur de la nuit.

Je craignais que cette dame ne se fatigue. J'ai dit que je m'en allais. Et, au dernier moment, j'ai demandé :

— Je voudrais bien savoir quand même ce que vous, madame, vous pensez de tout cela.

Elle a répondu, étonnamment lucide et bienveillante :

— Je me dis qu'à travers tout ce que je vis beaucoup se sentent interrogés.

J'aurais gardé un souvenir pénible de cette bataille si je n'avais rencontré un matin dans le métro une des filles de cette dame. Nous avons évoqué ces moments. Nous avons repris conscience des réactions et de l'importance de ces instants. J'ai redit l'affection que je portais à leur maman.

Elle et ses sœurs ne cessent de me dire depuis lors que je suis pour elles un témoin de l'espérance.

Une rose dans les sables du désert

Anne-Marie est une petite femme. Courageuse maman d'une fillette de cinq ans. Mariée à un garçon qui a du mal à supporter la maladie et l'absence de sa femme — même quand elle revient à la maison, entre deux séjours à l'hôpital. Elle sait qu'il a « quelqu'un ». Il lui a même imposé la présence de cette femme quand ils sont allés quelques jours en vacances.

Anne-Marie est une nouvelle baptisée. Elle a la foi des néophytes. Sans nuages. Ce qui ne veut pas dire sans réflexion. Au contraire, l'Action catholique ouvrière lui apprend à rendre compte de sa foi en toutes circonstances.

Maladie, abandon, pauvreté, son dénuement est extrême. Son mari vient de la prévenir qu'il allait partir. Il ne lui reste au monde que sa fillette, qu'elle va devoir bientôt quitter, et sa foi.

Elle m'a dit :

— Il y a quand même toujours de l'espérance, n'est-ce pas ? Puisque même dans les déserts, il pousse des fleurs, vous savez, les roses des sables !

A quel degré d'abandon cette femme était-elle parvenue pour ne trouver que dans le règne minéral une expression de son espérance ?

Même Jésus a dit un jour : « De ces pierres, Dieu peut faire des fils d'Abraham » (Lc 3, 8). Je me demande parfois, avec effroi, quelle fut la profondeur de l'épreuve de cette jeune femme qui demeura toujours maîtresse d'elle-même.

Avortements

Difficile de pénétrer dans ce service. Non pas que l'on m'ait fermé la porte, mais je ne voudrais pas que ma présence soit mal comprise. Je ne veux pas donner l'impression de bénir ni de condamner. Il n'est pas non plus question que j'aille donner des leçons ou que je veuille me substituer à ceux qui sont chargés d'accueillir et de faire réfléchir. Mais j'ai l'impression que tout ne doit pas se passer très bien. Comment rendre le Seigneur présent dans ce service, comment parler ici aussi d'espérance.

Une infirmière du service que je connais et que je cherchais à voir depuis longtemps vient à passer :

— J'aurais voulu parler un moment.

— Non, pas maintenant, je suis pressée, je dois aller chercher les enfants.

— Bien sûr. On pourrait fixer une heure. C'est à propos du service. Les avortements. Est-ce qu'on aide bien ces jeunes femmes qui se font avorter ?

— Hélas ! Elles sont mal reçues, mal vues. L'opération est mal vécue par les infirmières.

Malgré son propre refus de l'avortement, elle supporte mal cette attitude qui n'est pas conforme à ce que l'on attend d'une infirmière. Attitude ni humaine ni chrétienne.

Trois quarts d'heure plus tard, nous sommes encore là, au pied de l'escalier où je l'ai rencontrée.

Quelques jours plus tard je verrai, dans deux petits flacons de formol, de six à sept centimètres de haut, le résultat des IVG. Dans l'un, un petit corps déjà formé, les yeux ouverts. Dans l'autre, de la purée d'embryon. Résultat du broyage dû à l'aspiration.

J'ai regardé longtemps ces deux petits flacons. J'étais sans réaction et j'avais du mal à m'en détacher. Il m'a fallu beaucoup, beaucoup plus de temps encore pour analyser l'impression que j'ai ressentie : Rien. Le vide. Pas le vertige qui vous saisit devant l'abîme. Pas la crainte que l'on peut éprouver devant l'espace ou la solitude. Non au contraire : l'absence d'une réaction et même d'une émotion positive. Rien. Certains parlent parfois de « mort absurde », de « mourir bêtement ». Quand la vie n'est plus la vie, que reste-t-il ? L'acte de mourir est encore, en comparaison, un acte vital. Ici rien, une absence de vie qui semble faire vase communicant avec l'absurde et le non-sens.

« Si le sel s'affadit, avec quoi sera-t-il salé ? Il n'est plus bon à rien qu'à être jeté dehors » (Mt 5, 13).

Je pense à tous ces jeunes de vingt ans tués à la guerre, aux victimes de la route au retour de week-end ou au départ des vacances.

Seul l'amour peut empêcher, compenser ce mépris de la vie, redonner l'espérance à l'auteur, lui-même victime de la tuerie. Et malgré ces millions de morts, Jésus nous parle de vie sans cesse renaissante !

Ensemble

La communion le dimanche matin

L'ambiance du dimanche matin est particulière. L'activité des autres jours, due aux soins, aux examens et aux visites, fait place à un moment de calme. Ceux qui ont demandé la communion se préparent paisiblement, dans un recueillement méditatif.

Je cherche dans les textes de la messe une phrase qui résume le message du jour et exprime la présence du Christ. Peu à peu, je me suis aperçu que les conditions de vie à l'hôpital et les dispositions du malade font que ces malades deviennent eux-mêmes les auteurs de l'homélie.

Ce dimanche, l'Evangile dit : « Ce ne sont pas ceux qui disent Seigneur, Seigneur, qui entreront dans le royaume des cieux, mais ceux qui font la volonté de mon Père » (Mt 7, 21).

J'ajoute : « Et vous, vous ne pouvez rien faire, ni donner à manger à ceux qui ont faim ni donner à boire à ceux qui ont soif... Et voilà que la prière elle-même est apparemment disqualifiée : ce ne sont pas ceux qui disent Seigneur, Seigneur... Alors que vous reste-t-il ? »

— L'offrande, m'a dit aussitôt une dame.

— Mettre mes pas dans l'empreinte de ses pas et puis marcher à sa suite, a dit une autre.

— Le cœur, a répondu une troisième sans un mot de plus.

Je crois que les malades entendent la Parole, mieux que quiconque sans qu'il soit nécessaire de l'« expliquer ».

Si proche et si lointain

Lors d'une conversation avec un médecin de l'hôpital, j'ai évoqué les découvertes dont je rends compte ici. Plus que dans mes postes précédents, j'ai été témoin ici d'une intensité de vie qui permet une rencontre de Dieu peut-être encore plus profonde. Une grande plage de vie jusqu'alors inconnue se découvre et une présence imprévue de Dieu se révèle, qui renforce et approfondit la foi.

Ce médecin a derrière lui plus de quarante années de médecine hospitalière. Il n'a jamais entendu ce langage. Il s'insurge : « Mais non, hélas, le malade est un être dépendant. Votre présence influence son discours, mais la réalité n'est pas telle que vous la décrivez. C'est la première fois que j'entends ça. »

Nous sommes allés dîner amicalement dans un café du quartier. Au cours de la conversation, passant d'un sujet à l'autre, nous avons évoqué les camps de concentration. Les déportés ont su garder jusque-là une vie intérieure que les affreuses conditions de détention n'ont jamais pu briser. Nous nous sommes confié que nous avions vécu l'un et l'autre des circonstances pénibles qui nous ont révélés à nous-mêmes.

— Monsieur, vous connaissez mieux que moi l'hôpital et les malades. Mais une vie spirituelle profonde existe là, tout près de vous et vous ne la soupçonnez même pas !

« Maître nous savons que tu es sincère, et que tu ne tiens compte de qui que ce soit ; car tu ne fais pas acception de personne, mais tu enseignes la voie de Dieu selon la vérité. Est-il permis de payer le tribut à César ou non ? Devons-nous payer ou ne pas payer ? » [...] Ce qui est à César, rendez-le à César ; ce qui est à Dieu, à Dieu » (Mc 12, 14-17).

Si les hommes de l'art ne savent pas faire place à la vie spirituelle, qu'ils sachent que leurs malades ne sont pas sans penser et qu'ils leur facilitent la liberté de chercher et d'aimer la volonté de Dieu.

J'ai peur de me réveiller morte

Quand ma mère fut opérée, elle fut hospitalisée dans une chambre à deux lits. Sa voisine était une femme simple, un peu naïve. Elle avait confié à ma mère son inquiétude à la veille de son opération : elle avait peur de « se réveiller morte » !

Maman m'avait rapporté cette réflexion. « Elle est un peu drôle ma voisine de chambre. Elle a peur de se réveiller morte. » Puis cette formule, qui lui était apparue saugrenue, a retenu, malgré tout, son attention.

Un jour elle me dit : « Après tout, ce serait une bonne formule. J'aimerais bien, moi, me réveiller morte. »

Le monsieur de Saint-Sulpice

Il avait longtemps travaillé en Argentine. Droit, honnête, réservé. Son épouse, sa fille, sa famille représentaient les mêmes caractéristiques. Le type de la famille française, classique, bourgeoise. Je veux dire par là que l'émotivité est contenue et que l'expression se fait toujours sous contrôle. Confidence, connais pas !

Un jour, lors de mes premières visites, je m'étais attardé dans le couloir pour parler un moment avec son épouse. « Et vous, madame, comment supportez-vous cette situation ? » Peut-être n'avait-elle pas encore pris le temps de penser à elle. Elle a été sensible à mon attention.

La maladie a duré.

Le mariage de sa fille était prévu depuis longtemps. Ils n'avaient pas voulu retarder la date, pour ne pas l'inquiéter. Après, il n'était plus question de changer.

Le jour du mariage, je me suis arrangé pour lui apporter la communion à l'heure de la cérémonie. Son frère était là. J'étais venu avec Elsa, une jeune fille chilienne en stage à l'hôpital. Ils ont parlé de ce continent, du passé, et dans la langue de là-bas. Tout cela donnait un peu d'air à une situation douloureuse.

Dans l'après-midi, sa fille, en robe de mariée, est venue l'embrasser.

Quand il est mort, quelques jours plus tard, j'ai téléphoné au curé pour lui donner quelques renseignements qui lui permettraient de mieux parler en la circonstance. Finalement, je suis allé prononcer l'homélie.

On ne se quittait plus !

Les malades apôtres auprès des autres malades

Mme B. a été hospitalisée en ophtalmologie. Elle est la mère d'un prêtre. Chrétienne, forte dans sa foi. Sans peur et sans reproche. Mais pas cassante. C'est aussi une maman.

Elle m'a demandé de lui apporter la communion. Elle communie donc dans la chambre, au milieu des autres malades, de façon discrète et recueillie. Mais tout le monde sait fort bien qu'elle est chrétienne. Une malade d'une chambre voisine, qui était là en conversation avec Mme B. un jour que je venais visiter cette dernière, avait déclaré qu'elle ne communiait pas.

Le dimanche suivant, Mme B., avec la permission des malades de sa chambre, a ouvert un transistor pour entendre la messe. Pour ne pas gêner les autres ni imposer une émission religieuse à ceux qui ne partagent pas ses opinions, elles ont fermé la porte du couloir. Mais Mme B. a l'oreille un peu dure. Elle a donc monté un peu le volume du son. Et la voisine — qui ne communie pas — a approché sa chaise dans le couloir, près de la porte, pour entendre la messe.

Elle non plus ne veut pas déranger ni s'imposer. Quelqu'un l'apercevra en ouvrant la porte.

Le dimanche suivant, Mme B. a invité cette voisine à ne pas rester dans le couloir. Et elles ont laissé la porte ouverte. De l'autre côté du couloir, un homme est alité. Plusieurs blessures à la suite d'une agression. Un œil a été atteint. Mais, quand on doit garder les yeux fermés, on entend tout. Il a suivi à distance les conversations. Lui non plus ne communie pas, mais il a eu l'occasion de dire à ces dames qu'il avait été touché par cette hospitalité !

Mme B. me l'a dit et m'a suggéré de rendre visite à ce malade qui lui apparaît bien disposé. En effet, nous nous sommes compris. Et quelque temps plus tard, comme lui-même m'avait demandé de lui apporter la communion, j'ai invité Mme B. et sa voisine à communier ce jour-là dans sa chambre. « Ce n'est plus une chambre d'hôpital, c'est un sanctuaire », dit-il.

Il me confie que son accident lui apparaît presque comme une chance. Il a découvert à cette occasion tout un ensemble de soins, d'attention, de solidarité et de foi commune tel qu'il ne l'avait jamais imaginé.

Quelque temps plus tard, alors que Mme B. est repartie chez elle, ce monsieur me dira : « Vous devriez aller faire visite à la personne qui se trouve dans la chambre voisine. Nous avons eu une bonne conversation. Je lui ai parlé de vous... »

Ces indications m'ont aidé dans ma tâche. Il n'y a pas de meilleure recommandation que celle d'un autre malade. Je suis aussi le témoin et un maillon de cette chaîne d'amitié éphémère, mais dont le souvenir, la marque seront impérissables. Plus encore, je crois que les apôtres des malades sont les autres malades. Ces échanges donnent tout son sens à la communion, pain partagé, vie du Christ reçue et donnée.

Fadi et Jean-Louis

Ils sont étudiants en médecine et participent régulièrement à la messe que je célèbre chaque semaine pour les étudiants du CHU.

Un jour, je leur ai dit que je visitais souvent Claude, prof de maths, hospitalisée en réanimation à cette époque. Nous étions unis dans une même communion et j'avais plaisir à parler de l'une aux autres et inversement.

Jean-Louis s'est proposé avec Fadi pour aller porter la communion à Claude pendant la semaine suivante puisque je devais m'absenter.

Tout s'est très bien passé.

On devine les répercussions de ce geste dans leur groupe et dans le monde médical concerné. Pour moi, j'ai accueilli cette initiative avec un peu de surprise et beaucoup de joie. Ce fut un très bon encouragement.

« ... Le Seigneur désigna encore soixante-douze autres disciples et les envoya devant lui deux par deux, dans toutes les villes et localités où lui-même devait se rendre... » (Lc 10, 1.)

Cinq heures du matin

Cinq heures du matin, le téléphone sonne : « Pouvez-vous venir maintenant ? Une dame ne va pas bien. Elle est consciente, mais très fatiguée. Son mari et ses enfants sont là. »

Le soleil commence à pointer. Je suppose que si la famille me demande de venir c'est qu'elle désire que l'on appelle les choses par leur nom.

Je trouve en effet une dame assise dans son lit. Elle respire très mal. Elle ne peut plus parler. Son mari et ses grands enfants sont là impuissants, malheureux, courageux. L'infirmière s'est battue toute la nuit.

J'ai dit que dans la prière nous exprimions notre confiance à Dieu en toutes circonstances. Aujourd'hui, que cette prière nous donne confiance pour accompagner cette maman dans sa rencontre du Père.

Et puis nous avons utilisé les prières de l'antique rituel : « Dieu, Consolateur de toute misère, tu ne veux voir périr aucun de ceux qui croient et qui espèrent en toi, toi dont la miséricorde est infinie regarde ta servante qui se recommande à toi... Qu'à l'heure de son départ elle trouve en Dieu un juge indulgent et que, purifiée de toute faute par le sang de Jésus Christ, elle mérite de passer à la vie éternelle. »

A certains moments, on est bien content de trouver quelques prières que l'on peut faire siennes.

Vient la litanie des saints : « Saint Abraham... saint Jean, sainte Marie-Magdeleine... saints et saintes de Dieu dont la vie et la mort ont crié Jésus Christ sur les routes du monde, saints et saintes de Dieu, priez pour nous. »

Et la prière se poursuit.

« Vous retournez à votre Créateur, à celui qui vous a tiré du limon de la terre... Que l'assemblée resplendissante des anges se hâte à votre rencontre. »

« Délivre-la, Seigneur... »

Il faut enfin conclure et faire un signe de croix final malgré un certain désir de prolonger l'adieu.

Les enfants pleurent doucement. L'un me dit :

— Maintenant, c'est comme si un laps de temps me séparait de ma mère.

— Vous voulez dire : « Encore un peu de temps et vous ne me verrez plus et puis encore un peu de temps et vous me verrez » (Jn 16, 16) ?

— Oui, c'est exactement ça.

L'infirmière est restée. Immobile, un peu en retrait, près de la tête du lit. Attentive, réservée. Elle m'avait accueilli avec un peu de vivacité, un peu énervée et fatiguée par cette nuit de travail, de veille et d'angoisse. Un peu sur la réserve aussi à l'égard de l'aumônier. Placé au pied du lit, je l'apercevais sur le côté quand je regardais la malade. Elle est restée tout le temps silencieuse et immobile. Fatigue ou bercement de la prière, j'ai eu l'impression que peu à peu elle s'apaisait après la lutte de la nuit et qu'elle appréciait que quelqu'un prenne le relais. Je crois aussi qu'elle consentait à la prière.

Et puis soudain, j'ai pensé que les soins qu'elle avait apportés toute la nuit et encore en ces derniers instants étaient des soins pour la vie. Inutiles pour une guérison, ils étaient donnés à une personne vivante, aimée, qui vivait sa mort. La perspective ouverte devant nous par chaque mot de notre prière me portait à comprendre que ces soins étaient encore pour la vie puisqu'ils s'adressaient à une personne appelée à vivre avec Dieu. Même sans cette perspective de foi qui donne à nos gestes toute leur ampleur, en respectant les opinions du personnel soignant, qui a le droit de ne pas être croyant, je crois que nous avons à redécouvrir les uns et les autres l'importance et la grandeur de ces derniers soins à un vivant qui est mourant. Ils sont encore des soins pour la Vie.

Lisez-moi les textes

Un samedi de décembre, un peu avant 16 heures, un homme attend près de la chapelle. La soixantaine. Pardessus. Chapeau.

— Vous pourriez venir voir ma femme ?

— Oui, bien sûr.

— Elle est très mal.

— Je dois dire la messe dans deux minutes.

— Je sais. Après !

Il a un air détaché, un peu froid. Je me souviens qu'il mâchait du chewing-gum. Je me suis dit qu'il voulait donner le change et cacher ses sentiments, ou bien qu'il ne se sentait guère ému.

Il est entré pour assister à la messe. Il a accepté de lire l'épître. C'était le premier dimanche de l'Avent : « Seigneur, pourquoi nous laisses-tu loin de ton chemin ? Reviens, pour l'amour de tes serviteurs. Jamais personne n'a vu un autre Dieu que toi agir ainsi envers l'homme qui espère en lui. Tu étais irrité par notre obstination et pourtant nous serons sauvés. Tu nous avais caché ton visage, tu nous avais laissés au pouvoir de nos péchés. Pourtant, Seigneur, tu es notre père. Nous sommes l'argile, tu es le potier, nous sommes l'ouvrage de tes mains » (Is 63, 17 - 64, 7).

Après la communion, il s'est agenouillé pour l'action de grâce. Et soudain il a éclaté en sanglots. Nous avions tous les larmes aux yeux.

Nous sommes partis ensemble vers le pavillon où sa femme était hospitalisée. Ses grands enfants l'entouraient. Elle était très affaiblie mais assise dans son lit, respirant difficilement, soutenue par les oreillers, ne pouvant plus parler mais tout à fait consciente. Elle gardait même ses lunettes suspendues à son cou par une chaînette.

Je lui ai dit que nous revenions tous les deux de la messe. Elle a exprimé quelque chose de totalement inaudible. Elle a fait le geste d'écrire. On ne peut pas ne pas se rappeler toute sa vie de tels événements. Je lui ai présenté mon carnet et un stylo. Elle a écrit péniblement. Sans le lire, j'ai passé le papier à son mari. Il n'a eu aucune réaction. Le papier ne portait que quelques traits. Elle n'avait plus la force d'appuyer le stylo sur le papier.

« Un crayon feutre ! » On trouve un feutre. Nouvel échec.

Nouvelle tentative, et nous déchiffrons : « Lisez-moi les textes. »

A mon tour, j'ai lu : « Seigneur pourquoi nous laisses-tu errer loin de tes chemins ? Jamais personne n'a vu un autre Dieu agir ainsi envers l'homme qui espère en lui. Seigneur, tu es notre Père... »

Quelle actualité ! La situation donnait à ce texte toute sa sève en même temps que le texte éclairait d'une lumière de foi notre situation.

La lecture terminée, elle attendait. J'ai lu le second

texte de ce premier dimanche de l'Avent de l'année B : « Que la grâce et la paix soient avec vous de la part de Dieu et de Jésus Christ. Aucun don spirituel ne vous manque à vous qui attendez de voir se révéler Notre Seigneur Jésus Christ. C'est lui qui vous fera tenir solidement jusqu'au bout » (I Co 1, 3-7-8).

L'Evangile, à son tour, précisait : « Veillez, car vous ne savez pas quand doit venir le maître de la maison... de peur que, venant à l'improviste, il ne vous trouve endormis » (Mc 13, 35-36).

Silence. Elle attendait encore mais je n'avais plus rien à lire. Je le lui ai dit. Elle m'a fait signe que cela suffisait.

Avec elle, avec cette Parole, avec ceux qui l'entouraient, nous étions désormais orientés autrement, tournés vers Celui qui vient.

Elle est morte le lendemain matin. Je ne l'avais pas revue ni son mari. Quelques jours plus tard, j'aperçus ce monsieur au guichet du service administratif. Je lui ai dit ma sympathie et combien j'avais été touché par le rebondissement de ces textes, de la chapelle à la chambre. « Ce n'est pas fini », dit-il. Et il m'a montré le faire-part où figuraient les mots : « Seigneur, pourquoi errer loin de tes chemins... Tu es notre Père. »

Madame Weil

Un samedi après-midi. Grand calme dans ce couloir du service de pneumologie. Une porte ouverte. Une dame dans son fauteuil.

— Bonjour.

— Bonjour.

— Je suis l'aumônier, je fais un tour dans le service.

— Je suis juive.

— Permettez-moi de faire un pas de plus et de vous serrer la main.

— Je suis juive, mais je ne crois pas. Mon mari et moi avons été déportés. Lui a pardonné, pas moi. Je ne peux pas. Tant d'horreurs ! Comment Dieu peut-il permettre ? Un jour pourtant, dans le train, j'ai eu une conversation avec une religieuse qui était montée dans mon compartiment. (Je me suis demandé : qu'a donc dit cette religieuse ?) Elle était allée au front pour soigner les soldats blessés. Elle aussi avait rencontré l'horreur. Elle m'a dit : « Je crois que moi aussi je serais là où vous en êtes si, en rentrant, je n'avais pas été reprise par les miens. »

La formule est certainement un peu maladroite. « Reprise par les miens » évoque trop la reprise en main. Mais la naïveté de cette expression est une garantie d'authenticité. Elle était peut-être une petite lumière pour cette dame qui me parlait.

Pour moi, j'avais en tête l'Evangile du lendemain que je méditais pour préparer mon sermon : « Le premier commandement est d'aimer Dieu. Le second lui est semblable : aimer son prochain. » J'avais souvent prêché pour montrer que les deux amours se situent dans la même foulée : on aime quelqu'un que l'on connaît. L'appel de Dieu à aimer sans compter nous permet à la fois d'aimer Dieu, de répondre à son appel en même temps que l'on cherche à aimer l'autre davantage.

Ce jour-là, une autre perspective se faisait jour : croire, ne pas croire ! Comment naît la foi, où s'enracine-t-elle ? Nous restions dans le mystère mais une idée s'imposait : pour développer la foi, il faut pouvoir la partager.

Apprendre et réapprendre à la partager : « Si je n'avais pas été reprise par les miens... »

Photos

J'ai pris des photos de mes parents quelque temps avant leur mort. Ils étaient âgés, malades, décharnés. Il m'est difficile de déchirer ces photos, mais je ne peux plus les regarder.

Au contraire, j'ai fait encadrer la photo de leur mariage. Ma mère a un visage plus jeune que celui que je ne lui ai jamais connu. Et mon père, qui était sévère, a un petit sourire au coin des lèvres. Il a l'air content de lui !

J'ai retrouvé aussi une photo de ma tante, qui date du début du siècle. Je l'ai aussi fait agrandir. Je la retrouve là, dans une attitude de disponibilité profonde, fondement de la générosité qu'elle nous a toujours prodiguée, à mes frères et à moi.

Faudrait-il conclure que la vie se résume tout entière à l'élan de la jeunesse, à la joie des commencements ou à l'instant de la vocation ? Le mouvement de la vie serait-il tout entier dans la pichenette originelle, la suite n'étant qu'une lente régression ? Non. Nos morts ont construit leur existence à chaque instant de leur vie. Aujourd'hui ils vivent plus pleinement que jamais en Dieu. Nous sommes en communion avec eux à travers la vie d'aujourd'hui qui est un commencement permanent. La vie ne se résume pas à la potentialité du germe ou à la victoire de la première pousse. Ces printemps nous redisent que la vie est toujours promesse, une promesse qui dépasse nos projets.

« Jésus vit Nathanaël venant à lui : il dit à son sujet : "Voici un véritable Israélite, en qui il n'y a pas d'artifice" ! Nathanaël lui dit : "D'où me connais-tu ?" Jésus lui répondit : "Avant que Philippe t'appelât, quand tu étais sous le figuier, je t'ai vu." Nathanaël lui répondit : "Rabbi, tu es le fils de Dieu, tu es le roi d'Israël !" Jésus lui répondit : "Parce que je t'ai dit : je t'ai vu au-dessous du figuier, tu crois ? Tu verras de plus grandes choses que celles-là." Et il lui dit : "En vérité, en vérité, je vous le dis : vous verrez le ciel ouvert et les anges de Dieu montant et descendant vers le fils de l'homme" » (Jn 1, 47-51).

Amitiés

Bernouilh

Un malade revenait dans ce même service à intervalles réguliers. Un homme d'une soixantaine d'années, originaire de la campagne, à la limite de la Bourgogne. Grand, fort, un peu rude, un peu dur d'oreille, ce célibataire cachait sous sa carapace un cœur d'or.

Il avait été conquis par la qualité des soins et la délicatesse du personnel. Peut-être n'avait-il jamais été, de toute sa vie, l'objet d'une telle attention. Il savait exprimer sa reconnaissance : à chacune de ses hospitalisations, il apportait quelques bouteilles de vin. La sympathie était réciproque. Le personnel appréciait son courage. Il acceptait les soins sans récrimination. On le savait menacé.

Il s'est mis dans la tête d'inviter un jour le service chez lui, à Bernouilh. Des infirmières m'en avaient parlé. Et un samedi matin nous sommes partis, deux voitures, voir M. X.

Sa petite maison était bien modeste. La réception fut royale, même si le décor était sans apparat. Il faisait chaud. Quelques « kir » pour se désaltérer et il nous a emmenés faire le tour du village. « C'est Cochin — disait-il fièrement — C'est eux qui m'ont sauvé. » Arrêt dans une cave ou deux. Dégustation... Lui, qui organisait chaque année le repas des pompiers où il était clairon, avait préparé de la nourriture pour le double d'invités ! Quelle joie dans cette chaumière. Un tour à la ville voisine. Collation avant de partir. Retour à Paris vers 21 heures. Rude journée !

Cette expérience nous prouvait qu'il n'est pas possible, si ce n'est par exception de prolonger hors du travail une telle amitié. Ce serait épuisant ; la saturation serait immédiate. Mais ce geste isolé prenait une valeur symbolique. Il disait que ce travail ne se limite pas à un service technique. Il fallait faire cette expérience, ce pas, cette démarche, cette fête, grâce à ces circonstances un peu exceptionnelles pour mesurer l'intensité souvent inaperçue des liens habituels vécus à l'hôpital.

Quelques heures avant sa mort, je lui avais rendu visite. Au moment où je sortais de la chambre il m'a demandé d'appeler l'infirmière. C'était elle l'intermédiaire, la médiatrice.

Un bulletin ?

La durée moyenne d'un séjour de malade à l'hôpital est de onze jours et demi. Certains restent plus longtemps, d'autres reviennent, mais habituellement les rencontres sont brèves.

Il m'est arrivé souvent de dire à un malade : « Je ne peux pas rester plus longtemps maintenant, mais je reviendrai. » Quand je pouvais revenir, le malade était parti. On avait à peine commencé une conversation. On avait encore tant de choses à se dire.

Quand commence une confidence, les mots comptent mais ils expriment et supposent autre chose : une ouverture de cœur, la confiance qui va s'approfondir à mesure que la compréhension et la sympathie grandiront. Parler à cœur ouvert laisse un souvenir inoubliable. Brèves, longues ou inachevées, ces rencontres en ces circonstances, quand elles sont vraies, impriment un souvenir ineffaçable.

Puisque tant de choses sont partagées qui désormais nous unissent, puisque le temps est court mais que les liens se prolongent indéfiniment, pourquoi ne pas faire un bulletin de l'Aumônerie qui prolongerait ce lien ? J'avais pensé que cette réserve, ce potentiel d'amitié, me permettraient d'affronter les nouveaux arrivants, ce qui est toujours une épreuve. « Bonjour, je suis l'aumônier ! » Un malade nouveau et un aumônier inconnu, sans autre moyen de prendre contact. C'est difficile. Ce bulletin me permettrait de ne pas arriver les mains vides : « Je vous apporte le bulletin de l'Aumônerie. » Les conversations qui se prolongeraient là, et les réflexions ainsi provoquées, seraient autant d'éléments pour écrire les pages de ce bulletin, autant de points d'accrochage pour les nouveaux. Le personnel qui pourrait lire ces quelques lignes serait ainsi au courant du contenu, comme de l'esprit, qui préside à ce ministère.

Avant mon deuxième Noël à l'hôpital, j'ai envoyé une trentaine de lettres à des personnes que j'avais rencontrées au cours de l'année, malades ou familles de malades, et même parents d'un malade décédé : « Nous nous sommes rencontrés cette année en des circonstances difficiles et douloureuses. Noël nous annonce la joie. Permettez-moi de vous souhaiter quand même, envers et contre tout, un Noël de paix et d'espérance. J'espère que mon initiative ne vous apparaîtra pas indiscrète. Elle est seulement l'expression d'un souvenir et d'un sentiment amical qui se prolonge fidèlement. »

Je voulais donc redire mon amitié à ces personnes et en même temps faire un test. Etaient-elles encore, autant que moi, marquées par cette rencontre à l'hôpital ?

Dès le lendemain j'ai reçu plusieurs appels téléphoniques pour me remercier. Le lendemain encore. Puis les lettres. Tout le monde a répondu. Nous étions bien branchés ! ... Et j'ai pris la décision de ne pas faire de bulletin ! J'ai eu l'impression que l'intensité de ce courant, l'importance de ce lien qui nous avait unis, ne supportaient pas qu'il se prolonge autrement, encore moins qu'il se diffuse et qu'il risque de se diluer. Nous étions marqués à vie. Les vrais liens ne s'effacent jamais. Pudeur excessive ? On peut tirer une conclusion opposée.

Aujourd'hui, ayant appris à rédiger les réponses de *la Vie*, je me sentirais peut-être plus à l'aise pour ce travail de rédaction. Peut-être aurais-je maintenant envie d'écrire ? J'apprécie le travail que mes collègues, aumôniers d'hôpital, font en ce sens. Le fond demeure : l'hôpital se vit au présent. Quand on en sort, on quitte un état qui est lié à cette situation. On est désormais un malade guéri... mais rien n'est oublié.

Cette tentative m'a cependant beaucoup marqué. Elle m'avait révélé que ceux que j'avais connus à l'hôpital portaient autant que moi la marque de cet événement et gardaient comme moi un souvenir profond de notre rencontre.

J'ai été encouragé à continuer de m'investir dans ces visites pour accompagner ceux qui vivent un présent précaire et sentent la vie fragile.

Mon ami Jeannot

Je voudrais chanter mon ami Jeannot, ou plus exactement chanter pour lui. Un homme droit, simple, de la race de ceux qui ont bâti leur vie par eux-mêmes.

Jeannot tenait un café en banlieue mais pendant longtemps il avait eu la gérance d'un restaurant en face de l'Opéra Comique. Il servait alors jusqu'au matin les artistes qui venaient dîner après la représentation. Et il chantait avec eux les airs qu'il aimait tant.

Car ce Béarnais aurait voulu faire carrière dans le chant. Une faiblesse au cœur l'en avait empêché. Les horaires du restaurant ne l'avaient pas arrangé. C'est la raison pour laquelle il avait dû changer d'établissement pour ne plus travailler la nuit. Et c'est aussi la raison pour laquelle il était hospitalisé en cardiologie.

Discret, réservé. Je suis toujours impressionné par ces personnes qui n'ont pas la culture que donnent les écoles, mais qui ont appris les leçons de la vie. Ils savent de quoi ils parlent. Ils parlent d'ailleurs autrement que les autres. Et on ne peut pas leur dire n'importe quoi. Leur expérience passe au crible tout « baratin ».

La première fois que j'ai vu Monsieur B., il était voisin de chamre de M. P. Celui-ci m'avait demandé de lui porter la communion. J'avais par politesse salué son voisin qui m'avait répondu aimablement. Et pour ne pas donner l'impression que la communion était réservée à quelques-uns, je lui avais dit que j'étais également à sa disposition.

— Non merci. Je suis catholique mais je ne communie pas. La position était ferme et arrêtée. D'ailleurs nous n'avons jamais eu l'occasion d'en reparler.

Mais son voisin au moment de quitter l'hôpital m'avait dit : « Mon Père, B. est un brave homme. Suivez-le, il reviendra. » Et il est vrai qu'un jour, je ne me souviens plus si c'est à la chapelle ou dans la chambre, je me suis aperçu que M. B. communiait.

Ce changement n'a pas été le plus spectaculaire. Je garde en mémoire deux autres souvenirs encore plus marquants.

Le premier concerne l'attitude de M. B. envers son voisin de chambre. Car ses séjours à l'hôpital se sont renouvelés souvent. Il me donnait l'impression de poursuivre l'accueil que son voisin, M. P., lui avait réservé quand il était arrivé. A son tour, il me présentait ses voisins. Il parlait avec admiration de cet Algérien aux cheveux blancs, merveilleusement poli et civilisé, croyant et discret. Il me demandait un vestiaire pour cet autre, clochard, qui aurait besoin d'un costume le jour de sa sortie.

Quand il revenait, il me faisait prévenir ou je le voyais à la messe. Nous étions heureux de nous revoir. Il m'avait longuement parlé de la petite fête qu'il préparait pour les vingt ans de sa fille. Je croyais bien comprendre qu'il voulait la fêter comme s'il craignait d'être absent quand elle se marierait.

Un jour, M. B. était venu à la messe dans la petite chapelle d'une trentaine de places. Nous n'étions guère plus de cinq ou six. En robe de chambre, il était resté au fond. Après le sermon, au moment de la prière universelle, chacun présentait spontanément ses intentions. Et Jeannot a dit, d'une belle voix forte à l'accent du Béarn :

— Aujourd'hui mon Père, c'est l'anniversaire de ma communion. Est-ce que je pourrais chanter le cantique que nous avons chanté ce jour-là ?

— Je vous en prie.

— Au nom du Père et du Fils et du Saint-Esprit.

Seigneur mon âme t'adore,
Par les clartés de l'aurore
Béni soit Dieu Créateur du soleil qui luit.

La chapelle s'emplissait de sa voix. Il a chanté encore un ou deux couplets. J'étais très ému.

Un jour de juillet, j'ai vu sa femme dans le couloir. Je ne l'avais aperçue qu'une fois. Le médecin venait de lui annoncer que le cœur de son mari allait bientôt s'arrêter. C'est elle qui m'a parlé de « Jeannot » ; jusque-là il avait été pour moi M. B. Je l'ai accompagnée. Elle pleurait doucement, sans pouvoir s'arrêter, mais sans abandonner la lutte de tous les jours. Courageuse elle aussi, comme lui.

Quand il est mort, j'ai téléphoné au curé de la paroisse qui ne le connaissait pas. Pour l'aider à personnaliser la messe d'enterrement.

Un jour j'ai reçu un faire-part du mariage de la

fille de Jeannot. Et moi je l'entends encore chanter dans la chapelle : « Au nom du Père et du Fils et du Saint-Esprit. »

Peut-être n'avait-il jamais cessé de chanter Dieu toute sa vie.

Pèlerinage à Lourdes

Bernardette et les infirmières de son service se sont mis une idée en tête : « Père Piquet, il faut nous organiser un pèlerinage à Lourdes. »

Au début, je n'ai pas cru que leur demande était vraiment sérieuse : pourquoi aller rencontrer les malades à Lourdes, alors qu'elles en soignent tous les jours dans leur service ? Et pourquoi aller prier là-bas, alors que le Seigneur nous demande de reconnaître sa présence ici et maintenant ?

Mais ce que femme veut... !

Nous nous sommes retrouvés une vingtaine à Lourdes, la semaine de l'Ascension. Le pèlerinage franciscain nous avait permis de bénéficier de son organisation. Pèlerinage habituel comportant la messe, les offices, les processions, la prière à la grotte, sans oublier les achats de souvenirs que j'ai bénis.

A Lourdes, le malade est le premier servi. Chacun s'efface pour laisser passer un chariot ou un brancard. Ils occupent les premières places à toutes les cérémonies. Quel changement par rapport à notre vie habituelle qui fait du malade un marginal. Et pour ce personnel qui travaille à l'hôpital, c'était aussi une reconnaissance publique de ce travail, qui est un service souvent accompli dans l'ombre. On se sent mieux quand on est reconnu. Et lorsqu'elles-mêmes s'effaçaient à leur tour devant un brancard c'était un peu comme si elles passaient la main et que tout le monde s'y mettait. Une détente aussi, bien sûr, ce pèlerinage. Il est alors plus aisé de prier quand on peut dire merci. Nous étions là pour ça.

A Lourdes nous avons appris que le malade est un pèlerin et que la maladie peut devenir pèlerinage.

J'avais lu dans le petit livre du Père Bourdeau que le pèlerinage n'est pas un voyage comme un autre. Un touriste revient chez lui tel qu'il est parti. Bronzé peut-être. Il rapporte quelques photos, quelques souvenirs qu'il ajoutera à sa collection. Cette année « il a fait » Venise !... Un pèlerin revient différent. Il s'agit là d'un voyage mystique. Le malade aussi ne revient pas chez lui tel qu'il est parti. Il aura au moins perçu que la vie est différente de l'idée qu'il s'en faisait. Et aussi qu'elle n'obéit pas toujours aux plans que l'on avait tracés.

J'ai rencontré en prison un jeune homme de vingt-cinq ans condamné à plusieurs années pour de nombreux mauvais coups. Il avait été une tête brûlée. Il m'a raconté sa jeunesse, son milieu, son éducation — ou plutôt l'absence d'éducation. Un jour, par un montage assez sordide, les policiers ont fait tomber son frère. Il a saisi un fusil et il est devenu gangster.

Il venait aux cours que je donnais à la prison. Attentif, bon élève, ponctuel, propre, équilibré. Il lisait et travaillait dans sa cellule. Il portait sur son environnement et sur la vie un regard bienveillant et réfléchi.

Je lui ai demandé à quoi il attribuait ce changement. La réponse était nette : à la maladie. On lui avait découvert quelque chose de grave. Opéré à Fresnes il s'est réveillé en prenant conscience de tout l'amour qui lui avait été donné et auquel il n'avait pas su répondre. C'est tout ! Quelqu'un lui avait parlé ? Non. Une prière, un aumônier, l'Evangile l'avaient guidé ? Non. La maladie, c'est tout. Désormais il n'était plus le même.

Le malade est un pèlerin qui doit quitter sa maison, marcher pour rejoindre un lieu sacré qui le conduira encore vers un « ailleurs », qui en fera un... « initié ».

Quitter

Maison — travail. Il faut rompre avec les habitudes qui font l'habile et l'habitué. Abandonner cette sécurité qu'apportent la routine et le quotidien. Affronter l'aventure. Le départ est une porte qui ouvre sur un renouveau possible, une chance, une liberté. Mais celui qui s'en va connaîtra aussi le désarroi.

Pèlerin étranger. « Je vais par le monde emportant ma joie et mes soucis pour bagages... Et si je rencontre la mort en chemin, fauchant parmi les rangs des gueux... » Partir hors de chez soi, c'est déjà apprendre à vivre hors de soi, pour la colère ou pour l'extase ?

Marcher

Le pèlerin marche « dans le plein allant de son corps ». C'est une joie de sentir cette cohérence. Mais quand il aura dépassé l'horizon familier, il deviendra aux yeux des autres un homme de passage, un étranger parmi les siens.

Autrefois, le pèlerinage était un exercice de pénitence. Le pèlerin était tenu de mendier sa nourriture et son logis.

Pour le malade aussi plus encore que le terme du pèlerinage, c'est la route qui fait le pèlerin. Lui aussi marche péniblement, lui aussi est en quête de soins, d'attentions, d'un sourire qui lui viennent des autres. Lui aussi connaît les imprévus, les inquiétudes qui dépendent des variations de la température. Parfois, tout simplement « il passe ».

Que cherchent-ils ces milliers de pèlerins qui se rendent à Chartres ou à Cestochowa ? Peut-être qu'un malade répondrait qu'ils apprennent, comme lui, à prier en marchant.

Un lieu sacré

Le pèlerinage conduit à un lieu de rassemblement où l'on honore un saint ou des martyrs. Lieu de guérison et de conversion.

Quelques gestes sont communs à toutes les religions. On s'approche d'une pierre, d'un rocher, d'une statue ou d'un reliquaire. On touche, on vénère. Le pèlerin boit l'eau ou se baigne. Il fait une offrande matérielle ou symbolique, dans un tronc ou en allumant un cierge. Enfin, il laissera peut-être un ex-voto ou un graffiti pour marquer sa venue et sa reconnaissance et il emportera, en souvenir, médaille ou statue. Autrefois les pèlerins recevaient la remise de leur peine.

Pour les chrétiens, la Terre Sainte est le premier de tous les pèlerinages. C'est là aussi que Jésus dit à la Samaritaine : « Ce ne sera ni sur cette montagne ni à Jérusalem que vous adorerez le Père... L'heure vient — et c'est maintenant — où les vrais adorateurs adoreront le Père en esprit et en vérité » (Jn 4, 21-24).

« Ce n'est pas le sacrifice que je veux, mais la miséricorde » (Os 6, 6).

Les pauvres sont nos maîtres et l'hôpital aussi est un lieu de pèlerinage où peuvent se manifester les vrais adorateurs du Père en esprit et en vérité.

Le malade aussi touche sinon « le fond » du moins ses limites, celles de la vie. Parfois, il « plonge », il nage et se débat. Un bain de sueur sera son lot.

Et qu'a-t-il à offrir ? Rien, sinon son bras à la piqûre, sa main pour que le médecin tâte son pouls. Il n'a rien à offrir sinon lui-même, sa souffrance. Plongé avec le Christ dans le tombeau pour naître à cette vie nouvelle toute donnée au Père.

Il ne cherchera pas à laisser une preuve de son passage, même si souvent un geste d'amitié souligne la reconnaissance. Il emportera une trace, quelques cicatrices sur son corps, mais surtout en son âme. Son rapport à la vie et aux autres, s'il en est conscient, ne sera plus le même.

Ailleurs

Le lieu d'arrivée d'un pèlerinage n'en est pas le but. Il conduit encore ailleurs. De fait, il est à noter que les lieux de pèlerinages retentissent de processions et autres chemins de croix. On est toujours en train de marcher. Quand on ne monte pas à genoux l'escalier final.

Le pèlerin et le malade se sont mis en route. Désormais, ils ne s'arrêteront plus. Même les vacanciers qui pourraient prendre leurs vacances sur place éprouvent le besoin de « partir en vacances », de changer d'air, de vivre autrement.

Le pèlerin et le malade savent que le chemin étroit qui mène à la vie est aussi un voyage intérieur. A travers cette rupture un autre horizon se fait jour. La vie a laissé apparaître son terme ; elle a aussi révélé une profondeur et une densité inconnues.

Dieu n'est pas seulement au-delà, au-dessus, Il est aussi celui qui chemine avec nous. Dieu et la Vie coïncident.

Claude

Aussitôt qu'elle fut hospitalisée, Claude a demandé le sacrement des malades. Les médecins ont décelé une leucémie. Les visites dans la chambre stérile sont interdites à toute personne étrangère au service. Sa maman, sa sœur, et quelques amies assistent donc de l'extérieur par la fenêtre ouverte.

Les prières terminées Claude m'a demandé : « Je peux chanter ? » Et d'une voix un peu fragile mais volontaire elle a chanté toute seule :

« Tu es là au cœur de nos vies
et c'est toi qui nous fais vivre.
Tu es là au cœur de nos vies,
bien vivant, ô, Jésus Christ. »

Cette jeune fille d'une trentaine d'années est agrégée de mathématiques, professeur dans une école libre. Elle est la seconde d'une famille dont le père officier est décédé. Droite, limpide, ardente, elle va vivre son hospitalisation comme tous les autres événements de sa vie, avec générosité, foi, sans détour. Elle connaîtra des moments de découragement sans que sa foi soit ébranlée.

Pendant les périodes de rémission elle partira avec le même enthousiasme qu'auparavant faire un de ces voyages qui étaient sa joie. Elle reviendra à l'hôpital avec la même détermination de faire les choses, comme il se doit, comme elle a toujours vécu.

Elle voulait communier tous les jours. Elle attendait ce moment. Je lisais quelques lignes des textes de la messe du jour et j'ajoutais quelques commentaires provenant de ma méditation. Elle ajoutait les siens. Parfois nous parlions un peu plus. La dernière fois que je lui ai porté la communion j'ai seulement lu les textes sans avoir besoin de les présenter ou de les commenter ; ils parlaient d'eux-mêmes. Les circonstances leur donnaient toute leur actualité. Je les cite à la fin de ce texte.

Cette malade m'aura aidé à devenir « aumônier ». Par cette foi profonde partagée en toute simplicité. Par cette franchise qui présidait à toute conversation y compris bien sûr celles qui concernaient sa maladie. J'ai vécu avec elle de façon exceptionnelle, à cause de ce long temps d'accompagnement qui a duré une année, à cause de sa qualité d'âme, tous les aspects de la vie de l'aumônier. L'accueil, la première rencontre, le soutien, l'écoute, l'évolution, la rémission et la rechute, l'espoir et le découragement, l'approfondissement dans la foi, l'inquiétude dans la famille, l'assaut final du mal, la dernière rencontre, la perfusion terminale dosée pour effacer les douleurs intolérables dues aux métastases qui envahissaient le cerveau, le sommeil dont on ne se réveille pas, la prière autour de son lit d'agonie, une dernière messe à la chapelle avant la mise en bière, enfin le départ du corps. Je retrouverai tout au long de mon ministère à l'hôpital des aspects épars de cet accompagnement. Claude m'aura aidé à les relier les uns aux autres. Un de ces aspects concerne le rapport que l'on peut avoir avec la famille et les proches du malade. On peut voir un malade seul à seul ; de vrai, il est pour une part, isolé ; certains sont seuls dans la vie. Mais un malade est souvent relié au-delà de ce que l'on peut voir par mille liens.

Le jour où Claude a demandé le sacrement des malades, quand je suis sorti de la chambre, je suis allé saluer sa maman. La veille déjà par téléphone une ancienne malade hospitalisée, collègue de Claude, me l'avait recommandée. Plus tard, pendant son séjour j'ai fait la connaissance de ses amis, un groupe très uni, profondément touché par cette épreuve. Des étudiants en médecine viendront lui porter la communion en mon absence. Le cercle s'étendra aussi aux infirmières, aux médecins. Plus tard j'irai parler à ses anciennes élèves.

Il est difficile de se rendre compte immédiatement de toutes ces ramifications. Elles donnent à ce ministère des répercussions insoupçonnées. Concrètes aussi bien que mystiques. En effet une sœur de Claude avait prévu de se marier un mois et demi après l'entrée à l'hôpital de sa sœur. La date était fixée, retenue. Que faire ? Reporter ? Et lui donner l'impression qu'elle en était la cause ! Attendre sa guérison ! Qui pouvait prévoir ? Garder la date ? C'était prendre le risque qu'elle soit absente au mariage ou même qu'un accident pourrait se produire juste avant sinon au moment même. On gardera la date, c'est mieux pour elle maintenant et d'ailleurs c'est mieux pour tout le monde, malgré tout. Et Claude assistera au mariage.

Mise au courant par la suite, elle sera parfaitement

d'accord avec cette décision. Les bien portants ont parfois tendance à vouloir régler tous les problèmes, y compris ceux qui concernent directement le malade, sans lui. C'est dommage. Lui aussi veut le bien des autres. Le mettre de la partie est une façon de le garder présent à toute cette vie de relations. Souvent on découvrira aussi que le malade polarise la réflexion de tout son entourage. Mieux, et ce fut le cas, le malade va apporter, à chacun de ses visiteurs, une attention plus forte et plus intense que celle que les bien portants ne lui accordent eux-mêmes. Sa maman dira d'elle : « La seule peine que cette fille m'aura jamais faite ce sera d'avoir été malade et de mourir. »

Qu'a-t-elle su de sa situation ? Elle ne pouvait pas l'ignorer. Qu'a-t-elle pensé alors qu'à certains jours elle savait que sa maladie s'aggravait ? Comment a-t-elle envisagé la mort ? Elle ne me l'a pas dit. Je l'ai trouvée quelquefois abattue mais elle a toujours bien réagi. Comme si... elle avait marché sur les flots à l'appel de Jésus.

Lectures bibliques

Lecture du livre de Job (19, 21-27)

Job disait à ceux qui lui faisaient des reproches : « Ayez pitié de moi, ayez pitié de moi, vous du moins mes amis, car la main de Dieu m'a frappé. Pourquoi vous acharner contre moi, comme Dieu lui-même ? Ne serez-vous jamais rassasiés de me mordre ? Je voudrais qu'on écrive ce que je vais dire, que mes paroles soient gravées sur le bronze avec le ciseau de fer et le poinçon, qu'elles soient sculptées dans le roc pour toujours : je sais, moi, que mon libérateur est vivant, et qu'à la fin il se dressera sur la poussière des morts ; avec mon corps, je me tiendrai debout, et des yeux de chair, je verrai Dieu. Moi-même je le verrai et quand mes yeux le regarderont, il ne se détournera pas. »

Psaume 26

Ecoute, Seigneur, je t'appelle :
Par pitié, réponds-moi !
Je n'oublie pas que tu as dit :
« Cherchez ma face. »

C'est ta face, Seigneur, que je cherche,
Ne te détourne pas de moi.
N'écarte pas ton serviteur avec colère,
toi, qui t'es fait mon protecteur.

J'en suis sûr, je verrai la bonté du Seigneur,
sur la terre des vivants.
Sois fort, et garde courage,
Attends le Seigneur !

Lecture de l'Evangile de saint Luc

Et pendant qu'ils cheminaient, quelqu'un lui dit pendant la route : « Je te suivrai où que tu ailles. » Et Jésus lui dit : « Les renards ont des tanières, et les oiseaux du ciel des abris ; mais le Fils de l'homme n'a pas où reposer sa tête. »

Or il dit à un autre : « Suis-moi. » Celui-ci dit : « Seigneur, permets-moi d'abord d'aller ensevelir mon père. »

Mais il lui dit : « Laisse les morts ensevelir leurs morts. Quant à toi, va annoncer le Règne de Dieu. »

Un autre encore lui dit : « Je te suivrai, Seigneur, mais d'abord permets-moi de prendre congé de ceux qui sont dans ma maison. » Jésus lui dit : « Quiconque a mis sa main à une charrue et regarde derrière soi, n'est pas propre au Royaume de Dieu » (Lc 9, 57-62).

Une parabole guide

Différentes contributions : livres, revues, stages de formation contribuent heureusement à favoriser l'accompagnement des malades et des mourants. Ce témoignage ne prétend pas s'y substituer, il s'y réfère et y renvoie. Je voudrais seulement souligner en conclusion, et toujours au titre du témoignage, que dans ces lieux se parle un autre langage : le corps prend la parole et la parole demande a être d'abord écoutée. « Le verbe s'est fait chair. »

Une parabole introduira notre propos (Lc 10, 25-36) :

« Et voici qu'un docteur de la loi se leva, disant afin de l'éprouver : "Maître que dois-je faire pour posséder la vie éternelle ?" Il lui dit : "Dans la loi qu'y a-t-il d'écrit ? Qu'y lis-tu ?" Il répondit : "Tu aimeras le Seigneur ton Dieu de tout ton cœur, et de toute ton âme, et de toute ta force et de tout ton esprit ; et ton prochain comme toi-même." Mais lui, voulant se justifier, dit à Jésus : "Et qui est mon prochain ?" Jésus reprit et dit : "Un homme descendait de Jérusalem à Jéricho. Et il tomba entre les mains de brigands, qui, l'ayant dépouillé, et de plus chargé de coups, s'en allèrent, le laissant à demi mort. Or, par hasard, un prêtre descendait sur cette route. Et l'ayant vu, il obliqua. De même un lévite aussi, passant par cet endroit le vit et obliqua. Or, le Samaritain, qui était en voyage, passa près de lui. Et à cette vue, il fut ému. Et s'étant approché, il banda ses plaies, y versant de l'huile et du vin. Puis, l'ayant hissé sur sa propre monture, il le conduisit à l'hôtellerie et prit soin de lui. Et, le lendemain, sortant deux deniers, il les donna à l'hôtelier et dit : "Prends soin de lui. Et ce que tu dépenseras en plus, je te le rendrai à mon retour." Lequel de ces trois te semble avoir été le prochain de l'homme tombé entre les mains des brigands ?" Il dit : "Celui qui a exercé la charité envers lui." Jésus lui dit : "Va, toi aussi, fais de même." »

Le scribe demandait : « Et qui est mon prochain ? » Jésus répond : « Qui s'est montré le prochain de l'homme attaqué par les brigands ? »

Dérobade ? Refus de donner une réponse précise ? Provocation ? Seul, ce Samaritain étranger et schismatique est donné en exemple. Il deviendra le « bon Samaritain », le modèle universel de la charité. Le prêtre et le lévite sont ridiculisés. Que comprendre ?

Et comment ce bon Samaritain peut-il dire à l'hôtelier à qui il a confié le blessé : « Prends soin de lui. Et tout ce que tu auras dépensé en plus, je te le donnerai à mon retour. » Comment peut-on s'engager à de telles dépenses sans aucune prévision précise ? Quand on connaît le coût des dépenses de santé !... Le prix d'une journée à l'hôpital ! Sans parler des complications éventuelles ! Et sans couverture sociale... Tout ceci, au profit d'un étranger ramassé au bord de la route.

Ceux qui ont accepté de se laisser happer par l'engrenage des soins à donner à un malade, un handicapé ou un mourant, savent que l'on peut investir plus d'amour qu'on ne le supposait dans un dévouement sans réserve. Je pense aux vieux époux qui dépensent, pour le conjoint malade, toute leur énergie, aux mamans qui veillent leur enfant, aux infirmières, à tous les personnels qui sont au service des malades.

Je sais, aujourd'hui, que la solidarité avec les souffrants peut nous conduire à la plus grande des charités. A quelqu'un qui souffre on ne peut pas refuser le soin, la présence dont il a besoin et qu'il attend. Au malade qui confie son angoisse, on ne peut pas refuser le temps d'écoute et l'affection qu'il réclame. Avec un mourant qui interroge, on ne peut qu'être vrai, avec une générosité qui ne connaît plus de mesure. La solidarité est le premier pas vers la charité. Refuser cette attention à un malade c'est toujours faire un écart, passer de l'autre côté de la route. L'Evangile précise bien que le prêtre et le lévite voyageaient du même côté que le voyageur. On pense parfois qu'ils auraient pu ne pas bien voir. Non, un malade est toujours sur notre chemin. Lui refuser présence et amitié c'est l'abandonner.

Pourquoi donc le prêtre et le lévite ne se sont-ils pas arrêtés ? L'Evangile n'en donne pas les motifs. Mais ils avaient de bonnes raisons. Les mêmes que celles qui nous tiennent éloignés personnellement et collectivement des vieux, des malades et de tous ceux qui auraient besoin de nous. On sent la suspicion envers les prêtres et les lévites. Il y a par derrière un contentieux qui n'est pas réglé. Il se réglera lors de la Passion quand Jésus sera livré par les prêtres à Pilate pour être condamné. « Parce que tu te dis Dieu et que tu n'es qu'un homme. » Et pourquoi le Samaritain s'est-il arrêté ? La réponse se trouve, me semble-t-il dans le dialogue qui précède la parabole : « Maître que dois-je faire pour posséder la vie éternelle ? » Jésus répond : « Qu'y a-t-il d'écrit dans la loi ? Tu aimeras le Seigneur ton Dieu de tout ton cœur, de toute ton âme, de tout ton esprit et ton prochain comme toi-même. » Or, plus loin, dans le récit de la parabole, il est dit que le Samaritain « fut saisi de compassion ». La langue hébraïque parle des entrailles. Il a laissé parler son cœur et « l'amour du prochain aimé comme soi-même » l'a conduit à la charité. Il découvrira ainsi la cohésion, l'interaction, entre aimer le prochain comme soi-même et aimer Dieu de tout son cœur et de toute son âme. Qu'est-ce qu'aimer si ce n'est aimer quelqu'un ? Mais aimer c'est toujours davantage. Le chemin de l'amour de l'autre est aussi le chemin de l'amour de Dieu.

On entend dire qu'il est difficile d'avoir la foi, de croire en Dieu ou de vivre en chrétien. Ouvrir son cœur aux plus démunis ouvre bien des portes, se refuser au partage avec les plus pauvres ferme aussi sûrement le chemin qui conduit à Dieu.

Le Bon Samaritain modèle de charité

S'approcher

Les hôpitaux ont développé les services d'accueil. J'admire la disponibilité de la personne qui indique aimablement aux centaines de visiteurs le numéro de la chambre et le chemin pour s'y rendre. Dans le service lui-même une infirmière, la surveillante, le médecin à certaines heures, accueilleront les familles et se prêteront aux questions qui leur seront posées. Malgré quelques réticences, on note d'immenses progrès dans ce domaine.

Pourtant tout ceci n'enlève pas l'appréhension qui saisit souvent ceux qui doivent « aller voir quelqu'un à l'hôpital ».

Le spectacle des perfusions, des sondes de toutes sortes, de tous ces malades aperçus par les portes entrouvertes, les odeurs, provoquent notre réticence. Mais l'obstacle à vaincre qui nous tient à distance des malades n'est pas extérieur, il est en nous. Pourquoi s'en étonner ? Quoi de plus normal que de se sentir perturbé par la maladie d'un proche ? Une infirmière me confie : « C'est dur d'aller dans la chambre de quelqu'un qui va mourir. » Au moins faut-il reconnaître honnêtement la difficulté.

De plus, la place des malades et des mourants n'est pas reconnue dans notre société ; cette attitude générale réagit sur chacun de nous.

Un malade est un être démuni. Celui qui visite un malade ressent fortement qu'il s'approche les mains vides. Les fleurs et les bonbons ne font pas illusion. Cette situation nous révèle notre difficulté à aimer simplement, sans artifices, en vérité. Mais aimer, c'est aussi et d'abord s'approcher.

Soigner

« Et s'étant approché, il banda ses plaies, y versant de l'huile et du vin. Puis l'ayant hissé sur sa propre monture, il le conduisit à l'hôtellerie et prit soin de lui. »

Venir en aide à un malade c'est d'abord prendre soin de lui, soigner. Soigner humblement. Car soigner n'est pas guérir. « Le docteur soigne, le malade guérit. »

Jésus ne cesse de guérir des malades. D'où vient donc cette idée fausse que Dieu aimerait que l'on soit malade, demanderait d'aimer la souffrance ? Ou punirait par la maladie ?

Le souci de venir en aide aux faibles et aux petits a toujours été un élément fondamental de la foi chrétienne. Longtemps l'Eglise a eu le monopole et la fierté de s'occuper des malades. L'hôpital était l'Hôtel Dieu. Aujourd'hui, l'aumônier ne dirige plus l'hôpital. Il peut même avoir l'impression d'y être sur une voie... parallèle. Le soin, qui est dans la droite ligne de ce que propose la parabole du bon Samaritain, dans la ligne même de l'action de Jésus, lui échappe. Les soignants ont acquis une totale autonomie par rapport à son ministère. Pourtant son ministère se rattache aux soins. Ne s'adresse-t-il pas à des malades soignés ? Lui et tous les visiteurs rencontrent des malades qui ont été admis, auscultés, radiographiés ; des malades pris en charge. La parole d'espoir, d'espérance, de foi s'adresse à un malade hospitalisé, entouré. La prise en charge dont il a été l'objet, les soins qu'il a reçus lui ont déjà permis de ne pas céder au désespoir et de reprendre souffle.

Ce que font les visiteurs ou l'aumônier s'intègre d'ailleurs à cette prise en charge. La visite amicale est présence, amitié, affection. Elle rétablit les liens avec la famille, les amis, le monde extérieur. Elle a par elle-même son efficacité. Ne pourrions-nous pas affiner notre regard et reconnaître que la parole de foi s'enracine dans toute cette action soignante ? Le prêtre dit la messe avec du pain, fruit de la terre et du travail des hommes. Il le sait : ce pain qui devient dans ses mains le pain du royaume éternel n'est pas le fruit de son travail. Ce travail humain a son autonomie. De même, ne peut-il pas voir dans les soins apportés aux malades la matière de l'espérance qu'il vient annoncer ? Que les soignants ne crient pas à la récupération ! Je n'ai jamais entendu un boulanger se plaindre parce que les prêtres disent la messe avec du pain !

Le soin est aussi de Dieu. La charité et le soin vont de pair. Nous sommes corps et âme indissolublement.

Le corps a son langage

Faut-il que le corps soit malade pour qu'on l'entende enfin ? Car il se plaint, le bon serviteur que l'on a parfois maltraité. L'explication est houleuse. Il s'était tu jusqu'alors. Voilà qu'il se réveille. Nous n'avions pas su l'écouter.

Le corps prend sa place à part entière. La peau, les différents organes se font entendre.

La main attentive du médecin révèle la présence d'organes dont on ignorait l'existence. La peau sous le coton de l'infirmière reçoit cette prévenance avec reconnaissance. Une main sur le bras devient une expression d'affection intense, accueillie par le corps et l'être tout entier. Les mains serrées seront souvent le dernier lien avec un mourant. Et les yeux ? Le langage muet des regards qui se croisent au jour de l'angoisse ou à la veille du grand départ !

La maladie modifie souvent le caractère en fonction de l'organe atteint. Elle fait du malade un malade particulier. On ne rencontre pas les mêmes malades d'un service à un autre. « En ophtalmo ce sont de bons malades », disent les infirmières. « Ils feraient tout pour garder leurs yeux ! » L'atmosphère est calme.

En médecine, le corps est pesant, douloureux. La douleur est lancinante, la plainte fréquente.

En orthopédie, les gens sont cassés mais pas malades ! Les conversations vont bon train. En pneumologie, le souffle est court. Les agonies sont les plus terribles. On meurt étouffé.

En cardiologie l'angoisse de la crise a fait place à un état d'alerte permanent. Il est difficile d'entendre son cœur.

En rhumato, les polyarthrites déformantes situent le malade en pleine marginalité. Un mal sournois sur lequel on ne sait pas agir déforme tout le corps et fait de la personne un handicapé.

En hémato, le sang vital est au cœur du combat, il envahit les rêves des infirmières.

A l'heure de la mort, tous les mouvements de ce corps auront une éloquence jamais atteinte. Un regard, un signe de la main, le dernier soupir. Et ensuite le visage apaisé de ceux qui ont fini de lutter.

Faut-il payer le prix de la souffrance pour redécouvrir la place du corps ?

Carte d'identité

Qui n'a entendu un malade présenter la litanie de ses opérations successives : « En telle année j'ai été opéré une première fois... Et puis, je suis revenu pour... Aujourd'hui... » Accompagnée de mille détails et de mille précisions. Les cicatrices sont là, preuves à l'appui. Bavardage ? Peut-être, pour une part. Prise de conscience aussi de cet étrange parcours. « Malgré toutes ces batailles, je suis encore là. Je ne suis plus tout à fait le même. Mais c'est encore moi. » Trompe-la-mort qui s'étonne d'avoir franchi tous ces dangers. Il se tâte. C'est bien moi. Ce n'est pas pour la galerie que le malade passe en revue ses cicatrices et fait le bilan des attaques et des interventions. Il établit sa nouvelle carte d'identité. Ces signes particuliers ont modifié, sinon son visage, du moins sa personnalité, son identité. Il est encore son corps... qui n'est plus tout à fait le même. Double personnalité qui s'exprime parfois par un double langage.

Double langage

Un directeur d'école que je visitais m'a dit un jour : « J'ai même perdu ma signature. » Il s'était rendu compte, dans la journée même, qu'il ne pouvait plus signer un chèque. Il était devenu trop faible. Sa main n'avait plus la force nécessaire de tenir un stylo et de tracer les mots.

Quelle éloquence dans ces quelques mots : « J'ai même perdu ma signature » ! Il aurait pu dire : je ne peux plus écrire, ou je suis trop faible pour tenir un stylo, ou bien j'ai voulu signer un chèque et je n'y suis pas parvenu. Non. La signature c'est aussi la personne. Et il se rendait compte qu'il perdait tout, même le signe de sa personnalité.

Les malades usent souvent ainsi d'un langage qui peut nous déconcerter : « Aujourd'hui, ça va », dit un mourant.

« J'ai peur de me réveiller morte », dit une malade à la veille d'une opération.

« Je me demande ce qui va encore m'arriver », dit un malade en réanimation.

« J'ai tellement envie de baiser(s) », confie un jeune homme hospitalisé.

Sens équivoque — langage symbolique. Ces paroles sont toujours plus profondes qu'il n'y paraît à première vue. Mais pourquoi ne pas dire les choses clairement ? Faut-il que « le corps » sache qu'il doit tromper la vigilance des gardes du raisonnable pour se servir ainsi de codes ? Où n'y aurait-il aucune autre façon d'exprimer cette réalité qui échappe aux distinctions rationnelles de l'âme et du corps, de la vie et de la mort !

Jésus aussi parlait en paraboles :

« Que ceux qui ont des oreilles pour entendre entendent » (Mt 11, 15).

Maladie - péché

« Qu'est-ce que j'ai fait au bon Dieu pour souffrir ainsi ? » Nous ne sommes pas très éloignés de la mentalité primitive qui fait de la maladie une punition divine, et du malade un pécheur puni.

« Qui a péché, lui ou ses parents, pour que cet homme soit né aveugle ? » demandent les disciples quand ils rencontrent l'aveugle-né (Jn 9, 2). Le prêtre et le lévite de la parabole du bon Samaritain craignaient de se rendre « impurs » s'ils s'approchaient du blessé.

La maladie serait le résultat du péché.

Personne n'ose exprimer aussi clairement cette accusation mais une catastrophe ou la mort d'un comédien provoque quelques réminiscences de cette mentalité.

Inversement la conversion serait source de guérison. Le ministère de guérison, cher aux charismatiques, se réalise lors des grands rassemblements de prière. Certes, le prédicateur se défend de guérir lui-même, seul Jésus guérit. Mais sont guéris ceux qui croient à la prédication.

D'autres établissent un rapport quasi physique entre santé et salut. Refuser l'alcool, lutter contre le tabac et promouvoir une nourriture végétarienne sont à leurs yeux des actions strictement religieuses. Pour eux la phrase de saint Paul : « Vous êtes les temples du Saint-Esprit » (1 Co 6, 19 ; 2 Co 6, 16), est à prendre à la lettre.

Mais le lien maladie-péché, santé-salut n'est pas mécanique. Quand Jésus guérit le paralytique il ne dit pas que sa paralysie était la conséquence de ses péchés. Il lui dit simplement : « Aie confiance mon fils, tes péchés sont remis » (Mt 9, 2). Et le paralytique pardonné reste paralysé. Ensuite il ajoute : « Afin que vous sachiez que le Fils de l'homme a autorité sur la terre pour remettre les péchés — alors il s'adresse au paralytique : « Lève-toi, prends ton lit et retire-toi dans ta maison » (Mt 9, 6).

Pour l'Evangile cette guérison est un signe de l'autorité de Jésus à l'égard du péché. Jésus ne se contente pas de guérir, il ne vient pas seulement améliorer notre condition, il annonce un monde sans larme ni mort. Il ne juge personne. Il est venu pour les pécheurs et nous offre la vie éternelle.

A ceux qui lui demandaient : « Qui a péché, lui ou ses parents ? » Jésus fait cette réponse qui nous frappe de plein fouet : « Ni lui n'a péché ni ses parents ; mais c'est afin que les œuvres de Dieu soient manifestées en lui » (Jn 9, 3). Et il l'envoie retrouver la vue en se lavant à la piscine de Siloé, mot qui signifie envoyé. L'exclu est réintégré dans la communauté des hommes.

Je crois que soigner sans réticence est une école où l'on apprend à ne juger personne ; à l'inverse de l'attitude qui consiste à déclarer que la maladie est une punition.

La maladie isole. Et nous marginalisons les malades. On peut alors penser que la maladie est non seulement un symptôme du mal-aise de la personne, mais que son traitement est lui-même révélateur des faiblesses d'une société qui ne sait pas faire place aux malades et aux mourants.

La foi chrétienne a aussi un rapport au corps individuel et au corps social. Accueillir Dieu est une reconnaissance qui épanouit tout l'être et ne peut pas être seulement l'affaire de chacun.

Une parole confisquée

La parabole ne rapporte aucun dialogue entre le bon Samaritain et le blessé ! Peut-être ne pouvait-il plus parler ? La parole serait-elle inutile ? Si ce n'est celle du médecin pour prescrire l'ordonnance.

— A-t-il de la fièvre aujourd'hui ? demande le patron lors de la visite.

— Non, docteur, 37,2, ce matin, répond le malade.

Et l'ensemble de l'équipe médicale : assistants, attachés, internes, étudiants et surveillants, ne peut cacher son étonnement. Cette réponse est déplacée. Le patron interrogeait son assistant. Pas le malade.

La médecine occidentale s'est fondée sur l'observation et le raisonnement d'où découle un diagnostic. Un médecin avoue que les commentaires du malade ont parfois modifié et même faussé son diagnostic. La douleur est subjective. Cette médecine occidentale, souligne un spécialiste, reste marquée par ses origines. Elle s'est constituée par l'étude des cadavres. La médecine chinoise, au contraire, a appris le fonctionnement du corps à partir du vivant.

Je me souviens d'une situation à peine croyable. Un matin de Noël un patron, très compétent et très consciencieux, était venu faire sa visite. Je le rencontre seul, adossé au mur du couloir à côté de la porte de la chambre où se trouvait une malade qui m'avait demandé de lui apporter la communion. Je préparais alors une présentation écrite, sous forme de tract, des services de l'aumônerie. J'ai voulu lui demander son avis. Je lui ai donné à lire le texte de ce projet pendant que j'irais porter la communion à la malade. La porte refermée, je rencontre une dame révoltée, ahurie. « Vous n'avez pas vu cet animal ! Quel cuistre ! Ni bonjour ni au revoir ! Qu'est-ce que ce malotru ? » dit-elle avec indignation.

C'était le patron qui venait de faire sérieusement sa visite. Il s'était concentré.

En sortant, j'ai retrouvé ce médecin, affable, qui m'avait attendu. « Bien votre papier, M. l'aumônier. » Nous avons échangé quelques mots aimables.

— Bon Noël !

— Bon Noël !

Il est superflu de parler à certains moments. Mais le malade soigné n'est-il pas un être qui parle et qui demande une relation ?

La vérité du malade

« Faut-il dire la vérité au malade ? »

« M'a-t-il dit la vérité ? »

« Docteur, est-ce que je peux vous demander... ? »

« J'en ai pour combien de temps ? C'est grave ? »

Comme si le chirurgien savait exactement où s'arrête la mauvaise circulation qui oblige à couper ici ou plus haut pour endiguer l'artérite. Comme si le docteur connaissait parfaitement l'état actuel, et l'évolution certaine du cœur de son patient. La médecine fait appel à la science, elle est par dessus tout un art.

Mais les malades croient que le médecin sait. Et les médecins croient que le malade ne connait rien à la science médicale et qu'il est vain de chercher à expliquer. Ils pensent même qu'ils n'ont pas à prévenir le malade de son état, surtout s'il est grave. En tout cas qu'ils n'ont pas à tout dire. De plus, le langage médical, seul capable de rendre compte de l'état du patient, est incompréhensible pour un non initié.

En réalité, celui qui est malade en sait plus qu'on ne croit. Mieux que quiconque, il est capable de savoir où il en est. Il le sait si bien que parfois il le nie. Le mourant lui-même peut annoncer à son entourage qu'il va mourir, il le sait mieux que les soignants ne peuvent le prévoir. Le malade a surtout besoin d'être mieux informé, d'être soutenu dans sa lutte par celui qui le soigne et qui l'associera à son traitement. Il demande à savoir où il en est, espère un dialogue qui le mettra en relation et en confiance. Il n'a pas tellement besoin de renseignements techniques. Les informations qu'on lui donnera seront surtout un élément d'une relation plus profonde, plus intime.

La vérité au malade n'est pas la propriété du médecin. La vérité du malade est sa propriété. Nous pouvons l'aider à en prendre conscience, à l'affronter. La vérité au malade est d'abord la vérité du malade.

— Est-ce que je vais mourir ?

— Eh bien, quelle question ! Voulez-vous bien ne pas penser à cela !

Question refusée. Elle exprimait pourtant au moins une inquiétude. Elle manifestait aussi une grande confiance.

Je comprends que le médecin ne puisse pas répondre : « Oui, vous allez mourir. » Il n'en est pas sûr, immédiatement. Et puis, que veut dire « mourir » ? Qu'est-ce que mourir ? Qui le sait sinon celui qui vit cette heure !

Nous n'avons pas à jouer à cache-cache ou à mentir. Le malade a sa vérité et c'est lui qui peut nous aider à en découvrir une part.

Elaborer une réponse

Face à la souffrance, à l'angoisse, que dire ? Devant les questions insolubles que répondre ?

Se taire ? Sous prétexte que toute parole est inutile, vaine !

Reformuler la question ? Pour meubler le vide. Affirmer ainsi une présence, une certaine compréhension, de la sympathie... Sans se compromettre.

Parler de son propre cas ? Pour être personnel au risque de devenir le centre d'intérêt : « Moi aussi, j'ai connu ça... »

Apporter une réponse, puisée dans la sagesse des nations, la philosophie, la théologie, l'Evangile, la prière ?

La question que pose un malade à propos de sa souffrance devient du même coup notre question, notre problème. Nous ne pouvons pas ne pas nous interroger nous-même et ne pas répondre pour une part à ces questions.

Une formule m'a beaucoup aidé à aborder justement ce dialogue. Quand un malade pose une question, nous avons à lui répondre en acceptant d'élaborer notre propre réponse, afin de permettre au malade d'élaborer la sienne.

Fugace mais fulgurant

J'ai souvent été surpris par les premiers mots de conversation avec les malades. En quelques phrases, tout est dit :

— Vous voici à l'hôpital.

— Oh, vous savez, si on m'avait dit que c'était grave, j'aurais déposé là mon sac et j'aurais dit : bon débarras !

Qu'y a-t-il derrière cette confidence marquée de désespoir et exprimée à l'emporte-pièce ? Une telle formule est souvent le résultat d'une longue maturation. Dans le silence de sa chambre, des nuits sans sommeil, dans l'éloignement, l'isolement, le malade a fait le point. Nous lui demandons comment ça va. Il nous livre aussitôt le résumé de sa situation, tout de go.

Faute de connaître ces antécédents, les étapes de sa réflexion, par manque de temps pour digérer cette information concentrée — parce qu'il est toujours difficile de bien comprendre —, nous risquons souvent de passer à côté de ce qui est dit et qui est l'essentiel. On se mettra alors à parler d'autre chose, des amis, du temps, des soins. Le malade était plutôt disposé à partager et à développer sa réflexion solitaire et profonde.

Les premiers mots sont souvent très importants. Fugaces mais fulgurants comme le fait de se retrouver du jour au lendemain alité. Un horizon nouveau vient de se dévoiler. Saurons-nous le découvrir ?

Une phrase révélatrice

Un ami m'avait suggéré de noter une phrase de la conversation qui me serait apparue révélatrice.

J'ai retenu beaucoup de ces formules que se forgent ainsi ceux qui sont affrontés à cet autre aspect de la vie. Aucune ne ressemble à une autre. Comme les sept notes de la gamme permettent de composer toutes les chansons et toutes les symphonies, cette expérience peut faire naître mille pensées profondes, réfléchies, personnelles, uniques.

Il est difficile cependant de retenir avec la plus totale précision les mots exactement employés. Noter serait indélicat. Faire l'effort de mémoriser cette expression, alors que la conversation se poursuit est un exercice difficile qui risque de nous rendre inattentifs. Mais comme j'ai appris à comprendre les malades en retournant dans ma tête et dans mon cœur ces confidences jaillies au cours de ces rencontres !

Un dialogue en décalage

Il n'est pas nécessaire d'être du même avis pour pouvoir dialoguer. Le dialogue possède cet avantage qu'il nous permet d'être d'autant plus intelligent de notre propre point de vue, que nous savons être accueillant au point de vue de l'autre. Il ne s'agit pas de chercher à convaincre ni de se mettre « à la place de l'autre ».

Il s'agit d'être vrai. Chacun progresse sur son chemin aiguillonné par la pensée de l'autre.

Dans l'Evangile du bon Samaritain, il est assez étonnant de voir qu'à la fin du récit, Jésus poursuit le dialogue en mettant en parallèle deux questions (Lc 10, 29 et 36).

« Qui est mon prochain ? » demandait le légiste.

« Qui se montre le prochain de l'homme attaqué par les brigands ? » demande Jésus.

A la Samaritaine qui lui demande comment elle pourrait puiser de l'eau, Jésus répond : « Je te donnerai une eau pour la vie éternelle » (Jn 4, 14).

Au bandit qui espère encore une faveur, une place dans le futur royaume, Jésus répond : « Aujourd'hui, tu seras avec moi dans le Paradis » (Lc 23, 43).

Au paralytique qui espérait une guérison, il dit : « Tes péchés sont remis » (Mt 9, 2).

Les conversations avec les malades nous montrent bien qu'on ne peut pas se mettre à la place de l'autre ; elles nous aident à comprendre que Jésus pour répondre aux questions qui lui sont posées refuse de se mettre à notre place. Nous voudrions qu'il apporte une solution à nos problèmes sans que nous changions de place, sans que nous réalisions ce retournement de la conversion. Sa parole nous appelle au-delà. Nous ne pouvons le comprendre que si nous acceptons de changer.

Une parole inédite

Un malade a besoin de se confier, d'avouer son angoisse. Refuser de l'entendre revient à l'enfermer dans une solitude sans issue. Là où vont se réveiller, à la moindre alerte, la peur et le découragement.

Il n'y a pas de bonne réponse à l'angoisse. Mais je me suis aperçu que si l'on permet à un malade de dire son angoisse, il dira lui-même son espérance ; comment il fait face à sa situation ; comment, au milieu de ses difficultés, il a redécouvert un soutien et une lumière qui l'aident à avancer.

La maladie et même l'approche de la mort sont des moments de vie, de vie intense. Tout l'être se mobilise pour faire face à cet aspect de la vie jusqu'alors inconnu. La présence de Dieu se révèle également neuve et imprévue. Notre connaissance de Dieu était limitée à la connaissance que nous avions d'une vie « normale ». Voici qu'un autre espace s'ouvre sous nos pas. Et voici que Dieu nous accompagne encore jusque-là. Jésus a partagé ces moments. L'amour de Dieu nous est encore accordé en cette circonstance. Son amour se révèle plus profond.

Si nous savons entendre l'angoisse d'un malade, nous lui permettrons de dire son espérance. Elle s'exprimera par cette parole jamais prononcée, jaillie d'une situation nouvelle. Et l'espérance se confond avec cette parole toute neuve, inédite. La vie avec Dieu est toujours nouvelle.

Gethsémani

Le trépas n'est pas le moment le plus pénible. Médecins, soignants, famille s'accordent à le reconnaître.

L'agonie de Jésus se situe au jardin de Gethsémani. Elle aussi précède l'heure du dernier soupir. Affronter en pleine conscience cette éventualité est peut-être encore plus éprouvant que le combat final.

L'attente du diagnostic est souvent plus angoissante que le traitement ou que l'annonce du résultat des examens.

A cette heure, lors de cette empoignade qui peut connaître des moments de désespoir, pourra naître aussi la prise de conscience profonde que la Croix de

Jésus est un fait d'actualité, le lieu de sa victoire et de la nôtre.

Il est déjà ailleurs

Un jour, j'ai accompagné à la morgue un homme dont la femme venait de mourir.

Il habitait en province. Quand il est arrivé à l'hôpital en trombe, il a trouvé la chambre vide. Cette absence lui fut insupportable. Il s'est écroulé. Puis il a demandé des comptes aux infirmiers, aux médecins. Il ne voulait plus quitter la chambre. Je me suis proposé pour le conduire à la morgue qui devait fermer ce samedi après-midi. Il s'est repris : « Oui, allons la voir » ; comme si un fol espoir renaissait : il allait la retrouver. Je lui ai dit : « Elle est déjà ailleurs. »

Depuis la toilette mortuaire, jusqu'à la mise en terre qui marque la fin des funérailles, en passant par la fermeture du cercueil, tous ces gestes soulignent que c'est fini... et que c'est désormais autrement.

Le corps est encore là, mais la personne est déjà ailleurs. Quand le cercueil s'inclinera pour descendre dans la tombe, nous pourrons nous dire : « Ce n'était quand même pas que ça mon père... ma mère... mon conjoint... mon enfant. »

Les étapes du deuil, en nous obligeant à reconnaître les faits, nous aident en même temps à percevoir que la mort n'est pas la fin de tout.

Maternité

Un lieu échappe à l'aumônerie. Celui des maternités. Je rêve d'un accompagnement des futures mamans. Il suivrait le déroulement de la formation de l'enfant. Livres et visites systématiques permettent aujourd'hui de faire le point pendant toute la période de gestation.

A côté de toutes les questions et des informations d'ordre scientifique, il faudrait noter les pensées, les mouvements du cœur des futurs parents. Leurs tressaillements à la première annonce, leurs espoirs, leurs inquiétudes, leurs réactions, leurs découvertes pendant ces neuf mois. Après la naissance, on oublie tout, même les douleurs, dit-on.

Ainsi cette participation à l'œuve de la nature, de la création aiderait à découvrir, non pas que nous sommes soudain plongés dans le sacré, mais participants intelligents et responsables de l'œuvre de Dieu. « Et voici, mon Dieu, que je suis père avec vous. »

La cérémonie des relevailles qui réintroduisait la maman dans l'Eglise après la naissance d'un enfant a connu une déformation qui a faussé son sens original. Rite de « purification » ? La Bible, d'où provient ce rite, donnait un autre sens à cette démarche. Elle permettait à la femme, qui par cette naissance avait touché le sacré, de reprendre sa place dans la communauté des mortels. Un sas de décompression qui permettait de passer du sacré au quotidien. C'est dans ce sens que l'on dit encore que le prêtre, à la fin de la messe, « purifie » le calice... après la consécration !

Le Père Varillon aimait à répéter : tout est profane, rien n'est sacré mais tout est sanctifiable.

Nous ne sommes pas faits pour le sacré. En Jésus Christ Dieu fait homme, nous pouvons vivre de la vie de Dieu dans notre vie quotidienne et profane. Nous sommes appelés à évangéliser le sacré lui-même, le sacré de la vie et de la mort. A toute heure, l'Evangile nous parle de vie, de vie toute neuve, de vie avec Dieu dans notre vie quotidienne

Conclusion

J'ai compris à l'hôpital plus que jamais que Dieu est vie.

Souvent nous n'osons pas vivre au maximum de nos possibilités : peur de se compromettre, de se risquer, de parler vrai — de crainte de perdre des avantages, de perdre la vie !

A l'hôpital, quand la santé est atteinte et que la vie elle-même est compromise, la peur de perdre la vie ou la santé est dépassée. Il reste la vie. Et l'on se prend à aimer la vie pour elle-même et pour aucune autre raison. Auparavant, on avait des raisons de vivre, ici, il reste le goût de vivre.

A l'hôpital j'ai rencontré beaucoup de souffrance. J'ai accompagné bien des mourants, assisté des familles en deuil, célébré de nombreux enterrements. J'ai entendu les cris de révolte et ressenti au plus profond de moi ce rejet et ce refus de la mort froide et absurde en tous points contraire à la vie. Qu'y a-t-il de plus douloureux et de plus insupportable que la douleur d'une maman qui perd son enfant ? Souvent j'ai été envahi par une peine immense quand je me retrouvais tout seul.

Mais, dans le même temps, j'ai découvert avec surprise que les malades mobilisent une énergie intense pour faire face à l'épreuve et affronter l'inconnu. Avec un étonnement chaque fois renouvelé j'ai vu les mourants aborder cet aspect nouveau de leur existence avec des sentiments d'une grande noblesse de cœur. Quand le temps se concentre dans l'instant, et que toute une vie de relation culmine en un regard, quelle vie !

J'ai voulu ici témoigner de cette lumière qui jaillit dans la nuit. Je crois que ceux qui soignent et visitent les malades et les mourants ont conscience de vivre ce temps fort de la vie. En tout cas, ils accompagnent et aident de leur mieux ceux qui les vivent.

En accomplissant mon ministère sacerdotal, j'ai toujours eu le souci de dire Dieu dans la vie, d'établir le lien entre la vie et la foi. Cette osmose se réalise dans tous les événements de la vie publique et privée. La vie et la foi grandissent et s'épanouissent en celui qui ose vivre, choisir, prendre ses responsabilités, parler vrai, risquer sa vie pour la justice et par amour pour ceux qu'il aime. Cette vie n'est pas seulement guidée par l'esprit du monde. Un autre « esprit » guide celui qui sait donner sa vie pour ses amis. « Il n'y a pas de plus grand amour que de donner sa vie pour ses amis. Vous êtes mes amis si vous faites ce que je vous commande » (Jn 15, 14). « Mon commandement est de vous aimer les uns les autres » (Jn 14, 12). « Celui qui veut garder sa vie la perdra. Celui qui la perd à cause de moi la sauvera » (Mt 16, 25). A l'hôpital, je n'ai pas vécu autre chose, je l'ai vécu plus intensément. La découverte de l'amour peut favoriser la conversion, la découverte de Dieu en Jésus Christ ; le dépouillement total peut entraîner une rencontre de Dieu imprévue, immédiate et profonde. Parce qu'il est la vie, le commencement et le terme ; la source.

Quand Jésus annonçait sa venue, il parlait d'apocalypse : « Les étoiles tomberont, les puissances des cieux seront ébranlées... » (Mc 24, 29). Et sa mort est en effet le plus grand cataclysme de l'histoire : les hommes ont préféré tuer Dieu plutôt que de l'entendre. Mais cette mort n'est pas une destruction finale. Elle est métamorphose. Cette vie pauvre, douce, pacifique et persécutée, est devenue pour tous les hommes source inépuisable d'amour sans fin. La mort en est transformée, elle s'ouvre sur la vie.

TABLE DES MATIERES

Achevé d'imprimer le 10 février 1987
sur les presses de Normandie Impression s.a. à Alençon (Orne)
pour le compte des éditions Desclée de Brouwer
N° d'éditeur : 87-3 Dépôt légal : février 1987

Imprimé en France